13 ENVELOPPEN & 1 RUGZAK

Maureen Johnson

13 enveloppen & 1 rugzak

De Fontein

BIBLIOTHEE⟨·BREDA
Wijkbibliotheek Teteringen
Scheperij 13
tel. ⁻⁻⁻

Oorspronkelijke titel: *13 Little Blue Envelopes*
Verschenen bij HarperCollins Publishers, New York
© 2005 Maureen Johnson
Voor deze uitgave:
© 2006 Uitgeverij De Fontein, Baarn
Vertaling: Sandra van de Ven
Omslagafbeelding: Hubie Frowein
Omslagontwerp: Hans Gordijn/Amy Ryan
Grafische verzorging: Text & Image

www.uitgeverijdefontein.nl

ISBN 90 261 3171 2
NUR 284, 285

Voor Kate Schafer, de beste reisgenoot in de hele wereld; een vrouw die niet bang is om toe te geven dat ze zich soms niet meer kan herinneren waar ze woont.

Dankwoord

Ik wil graag de beheerders van Hawthornden Castle bedanken. Dit boek is ontstaan tijdens mijn verblijf daar, toen ik ook heb geleerd de wegen van Midlothian, Schotland te bedwingen. In het pikdonker, in de regen, midden in de winter. (Een hele prestatie, maar ik zou het niemand aanraden.)

Simon Cole en Victoria Newlyn hebben me in Londen een veilige haven geboden en niet één keer ergerlijke vragen gesteld als: 'Wat doe je hier eigenlijk?' of: 'Wanneer ga je weer?' Stacey Parr deed dienst als uitgeweken landgenoot ter plaatse en sympathieke gestoorde tante, en Alexander Newman was de 'Englishman in New York' en immer bemoedigende oom. John Jannotti heeft al veel te lang op een bedankje moeten wachten. Hij heeft zijn zeer gevarieerde expertise met me gedeeld en nooit gezeurd over de enorme sloten koffie die ik dronk.

Zonder de redactionele begeleiding van Ben Schrank, Lynn Weingarten en Claudia Gabel van Alloy Entertainment, en van Abby McAden van HarperCollins, zou ik helemaal nergens zijn.

Lieve Ginger,

Ik heb nooit zo van regeltjes
gehouden. Dat weet je. Daarom
zul je het ongetwijfeld vreemd
vinden dat deze brief vol staat
met regels die ik heb opgesteld en
waaraan jij je moet houden.

'Wat voor regeltjes?' vraag je je ongetwijfeld
af. Jij wist altijd al precies de juiste vragen
te stellen.

Weet je nog dat we vroeger, als je als klein
meisje bij mij in New York op bezoek kwam,
altijd dat spelletje speelden: 'Vandaag woon ik
in...'? (Ik vond 'Ik woon in Rusland' altijd het
leukst. Dat speelden we altijd in de winter.
Dan bekeken we de Russische kunstcollectie in
het Metropolitan Museum of Art, stampten door
de sneeuw in Central Park, en gingen ten
slotte uit eten bij dat Russische restaurantje
in The Village met die zalige augurken en die
rare haarloze poedel, die altijd in de etalage
naar taxi's zat te blaffen.)

Dat spelletje wil ik graag nog een keer
spelen, alleen gaan we het deze keer iets
letterlijker opvatten. Vandaag spelen we 'Ik
woon in Londen'. Je zult hebben gemerkt dat ik
duizend dollar in contanten in deze envelop
heb gestopt. Dat geld is voor een paspoort, een
enkele reis New York-Londen en een rugzak.
(Zorg dat je een paar dollar overhoudt voor de
taxi naar het vliegveld.)

Als je een ticket hebt gekocht, de rugzak
hebt ingepakt en iedereen een afscheidsknuffel
hebt gegeven, wil ik dat je naar New York

9

gaat. Om precies te zijn, wil ik dat je naar 4th Noodle gaat, het Chinese restaurant onder mijn oude appartement. Daar ligt iets voor je klaar. Van daaruit ga je rechtstreeks naar het vliegveld.

Je blijft een paar weken weg en je zult naar vreemde landen reizen. Dit zijn de regels waarover ik het had, en waaraan je je tijdens de reis moet houden.

Regel 1: Je mag alleen meenemen wat in je rugzak past. En niet steggelen met een handtasje of handbagage.

Regel 2: Je mag geen reisgidsen, taalgidsen of andere taalhulpmiddelen meenemen. En geen dagboek.

Regel 3: Je mag geen extra geld meenemen, en ook geen creditcards of travelercheques of iets dergelijks. Daar zorg ik wel voor.

Regel 4: Geen elektronische hulpmiddelen. Dat betekent: geen laptop, geen mobiele telefoon, geen muziek en geen fototoestel. Je mag niet via internet of de telefoon met familie of bekenden in de Verenigde Staten communiceren. Briefkaartjes en brieven zijn wel toegestaan. Graag zelfs.

Meer hoef je voorlopig niet te weten. Tot ziens bij 4th Noodle.

Liefs,
je weggelopen tante

Een pakje dat lijkt op een knoedel

Doorgaans probeerde Ginny zo min mogelijk op te vallen, maar dat was zo goed als onmogelijk als je een paars met groene rugzak van vijftien kilo (ze had hem gewogen) op je rug torste. Ze wilde niet eens weten hoeveel mensen ze al met dat ding had geraakt. Hij was gewoon niet geschikt om mee door New York te lopen. Of waar dan ook, eigenlijk... Maar vooral niet in de East Village van New York op een zomerse middag in juni.

Er zat een haarlok vast onder de draagriem die over haar linkerschouder zat, dus haar hoofd werd een beetje omlaag getrokken. Dat maakte het er allemaal niet beter op.

Het was al meer dan twee jaar geleden dat Ginny voor het laatst naar het penthouse boven 4th Noodle was geweest. (Ofwel: 'Die tent boven de vetfabriek', zoals Ginny's ouders het graag noemden. Dat was niet helemaal uit de lucht gegrepen. 4th Noodle was inderdaad nogal vettig. Maar het was het goede soort vet en ze maakten er de lekkerste miegerechten van de hele wereld.)

De plattegrond in haar hoofd was de laatste twee jaar een beetje vervaagd, maar gelukkig verried de naam van 4th Noodle al in welke straat het restaurant stond: op de hoek van 4th Street en Avenue A. De 'avenues' met de letters lagen ten oosten van de genummerde, dichter bij het hart van het supertrendy East Village, waar de mensen rookten, latex droegen en nooit over straat sjokten met een rugzak zo groot als een brievenbus.

Ze kon het nu nét zien: het onopvallende Chinese tentje naast Pavlova's Tarot (met het zoemende paarse neonbord), pal tegenover de pizzeria met de gigantische muurschildering van een rat op de zijgevel.

Toen Ginny de deur opende, klonk er een heel zacht belletje en blies er een felle, koele luchtstroom in haar gezicht. Achter de balie stond een piepklein, mager vrouwtje dat drie telefoons tegelijk bemande. Dat was Alice, de eigenaresse en de favoriete buurvrouw van tante Peg. Toen ze Ginny zag, glimlachte ze breed en stak haar vinger omhoog om aan te geven dat ze even moest wachten.

'Ginny,' zei Alice terwijl ze twee telefoons ophing en de derde neerlegde. 'Pakje. Peg.'

Ze verdween achter het bamboegordijn dat in de deuropening naar het achterste deel van de winkel hing. Alice was Chinees, maar sprak vloeiend Engels. (Dat beweerde tante Peg tenminste.) Omdat ze altijd snel ter zake moest komen (het was altijd razend druk bij 4th Noodle), sprak ze echter in haperende losse woorden.

Er was niets veranderd sinds Ginny er voor het laatst was geweest. Ze keek omhoog naar de verlichte foto's van Chinese gerechten, de glanzende plastic droombeelden van garnalen met sesamzaad, kip en broccoli. Ze gloeiden, maar niet bepaald verlokkelijk, eerder radioactief. De stukjes kip waren net iets te glanzend en oranje. De sesamzaadjes waren te wit en te groot. De broccoli was zo groen dat het pijn deed aan je ogen. Daar was de uitvergrote, ingelijste foto van Rudy Giuliani die naast een stralende Alice stond. Die foto was genomen toen de populaire voormalig burgemeester op een dag gewoon binnen was komen lopen.

De geur was echter nog het meest vertrouwd: de zware, vettige geur van geroosterd rundvlees, varkensvlees en pepertjes en de zoete geur van grote pannen vol gestoomde rijst. Dat was de geur die door de vloer van tante Pegs appartement omhoogkwam en altijd om haar heen hing. Het was haar zo vertrouwd dat ze bijna achterom keek om te zien of tante Peg soms achter haar stond.

Maar dat kon natuurlijk niet.

'Hier,' zei Alice toen ze achter het bamboegordijn vandaan kwam met een pakje van bruin papier in haar hand. 'Voor Ginny.'

Het pakje – een volgepropte bruine bubbeltjesenvelop – was inderdaad aan haar geadresseerd: Virginia Blackstone, p/a Alice van 4th Noodle, New York. Er zat een Londens poststempel op en er hing een vaag vetluchtje omheen.

'Dank je,' zei Ginny terwijl ze het pakje zo elegant aannam als maar mogelijk was, gezien het feit dat ze niet voorover kon buigen zonder met haar gezicht op de balie te vallen.

'Zeg Peg gedag van me,' zei Alice terwijl ze de telefoon opnam en meteen een bestelling begon aan te nemen.

'Eh...' Ginny knikte. 'Ja, natuurlijk.'

Toen ze weer op straat stond en op Avenue A zenuwachtig uitkeek naar een taxi die ze zelf zou moeten aanhouden, vroeg Ginny zich af of ze Alice had moeten vertellen wat er was gebeurd. Al snel werd ze echter afgeleid door de ijzige angst die haar taak bij haar opriep. De taxi's leken wel wilde, gele beesten die door New York scheurden om mensen die ergens naartoe moesten naar de plaats te brengen waar ze moesten zijn, terwijl doodsbange voetgangers haastig dekking zochten.

Nee, dacht ze terwijl ze timide haar hand zo hoog mogelijk opstak naar een plotseling opgedoken kudde van die wilde beesten – haar prooi. Nee, het was niet nodig om Alice te vertellen wat er was gebeurd. Ze geloofde het zelf maar nauwelijks. En trouwens, ze moest weg.

De avonturen van tante Peg

Toen tante Peg zo oud was als Ginny (zeventien jaar), liep ze weg van haar ouderlijk huis in New Jersey, twee weken voordat ze met een volledige studiebeurs aan het prestigieuze Mount Holyoke zou gaan studeren. Een week later dook ze weer op, oprecht verbaasd dat iedereen boos op haar was. Ze had wat tijd nodig gehad om na te denken over wat ze op de universiteit wilde bereiken, legde ze uit, dus was ze naar Maine gegaan, waar ze mensen had ontmoet die met de hand vissersboten bouwden. Vervolgens deelde ze iedereen mee dat ze voorlopig nog niet ging studeren. Ze wilde er eerst een jaar tussenuit om te werken. Dat deed ze dan ook. Ze sloeg de studiebeurs af en werkte een jaar lang als serveerster bij een groot visrestaurant in het centrum van Philadelphia. In die tijd woonde ze samen met drie anderen in een klein flatje aan South Street.

Het jaar erop ging tante Peg naar een kleine universiteit in Vermont, waar niemand cijfers kreeg. Ze koos schilderen als hoofdvak. Ginny's moeder, de oudere zus van tante Peg, had heel duidelijk voor ogen wat een 'echte' universitaire studie inhield, en schilderen voldeed daar niet aan. Wat haar betrof, was afstuderen in schilderkunst een krankzinnige onderneming, vergelijkbaar met afstuderen in fotokopiëren of het opwarmen van etensrestjes. Ginny's moeder was al haar hele leven een praktisch mens geweest. Ze woonde in een mooi huis en had een baby'tje (Ginny). Ze moedigde haar jongere zusje aan om net als zij accountant te worden. Tante Peg schreef in een kort briefje terug dat ze performancekunst als bijvak had gekozen.

Zodra ze was afgestudeerd, ging tante Peg naar New York en trok in het appartement boven 4th Noodle. Daar ging ze nooit meer weg. Het was de enige constante in haar leven. Ze veranderde om de haverklap van baan. Ze werkte als manager bij een winkel voor hobby-artikelen, tot ze op een dag op een online-bestelformulier één nul te veel typte. In plaats van de twintig op bestelling gemaakte, niet-retourneerbare Italiaanse schildersezels die ze had moeten bestellen, ontving ze er tot haar verbazing tweehonderd. Vervolgens nam ze als uitzend-kracht de telefoon op in het hoofdkwartier van Donald Trump, tot ze op een dag de grote man zelf aan de lijn kreeg. Ze dacht dat het een bevriende acteur was die deed alsof hij Donald Trump was, dus stak ze een tirade af over 'kapitalistisch uit-schot met lelijke toupetjes'. Ze vertelde graag hoe ze door twee beveiligingsagenten het gebouw uit was geëscorteerd. Voor tan-te Peg waren die baantjes alleen maar iets om haar bezig te houden tot haar carrière als kunstenares een vlucht nam.

Altijd wanhoopte Ginny's moeder over haar zusje, en ze hield Ginny altijd voor dat ze best van haar tante mocht houden, maar dat ze vooral geen voorbeeld aan haar moest nemen. Niet dat dat erg waarschijnlijk was. Ginny was gewoon te beleefd en te normaal om zoiets zelfs maar te overwegen. Toch ging ze heel graag bij haar tante Peg op bezoek. Er was geen regelmaat in die bezoekjes te ontdekken en ze kwamen niet zo heel vaak voor, maar het waren altijd magische ervaringen, waarbij de gewone leefregels niet leken te gelden. Maaltijden hoefden niet uitgebalanceerd te zijn en om zes uur op tafel te staan. Het kon ook gebeuren dat ze om twaalf uur 's nachts nog Afghaanse kebab en ijs zaten te eten. 's Avonds zaten ze niet voor de tv. Soms dwaalden ze door kostuumwinkels en boetiekjes, waar ze de vreemdste, duurste artikelen pasten die ze maar konden vinden, dingen die Ginny anders nooit zou hebben aangetrok-ken omdat ze zich dood zou hebben geschaamd, en die vaak zo duur waren dat ze het gevoel had dat ze eerst moest vragen of ze ze wel mocht aanraken. ('Het is een winkel,' zei tante Peg dan, terwijl ze een zonnebril met reusachtige glazen van vijf-honderd dollar of een gigantische hoed met veren opzette. 'Die spullen liggen er om gepast te worden.')

Het leukste aan tante Peg was dat Ginny zich bij haar altijd interessanter voelde. Dan was ze niet stilletjes en gehoorzaam. Dan werd ze luidruchtig. Bij tante Peg was ze een ander mens. En er was altijd die stilzwijgende belofte geweest dat tante Peg voor Ginny klaar zou staan: als ze op de middelbare school zat, als ze ging studeren. 'Dan zul je me het hardst nodig hebben,' zei tante Peg.

Op een dag in november, toen Ginny in de vierde klas van de middelbare school zat, deed de telefoon van tante Peg het opeens niet meer. Ginny's moeder slaakte een zucht en ging ervan uit dat de rekening niet was betaald. Daarom stapte ze samen met Ginny in de auto en reed naar New York om te zien wat er aan de hand was. Het appartement boven 4th Noodle stond leeg. De conciërge vertelde hun dat tante Peg een paar dagen eerder was vertrokken en geen nieuw adres had achtergelaten. Er lag echter wel een briefje onder de welkomstmat. Er stond op: 'Moet even iets regelen. Neem binnenkort wel contact op.'

In eerste instantie maakte niemand zich echt zorgen. Tante Peg had het kennelijk gewoon weer eens op haar heupen gekregen. Er ging een maand voorbij. Toen nog een. Het lentetrimester verstreek. Het werd zomer. Tante Peg leek van de aardbodem verdwenen. Na een hele tijd kwamen er een paar ansichtkaartjes, waar eigenlijk alleen maar op stond dat ze het goed maakte. Er zaten poststempels op van allerlei landen – Engeland, Frankrijk, Italië – maar ze bevatten geen uitleg.

Het was dus typisch iets voor tante Peg om haar in haar eentje naar Engeland te sturen met een pakje van een Chinees restaurant. Dat was niet zo vreemd.

Wat wél vreemd was, was dat tante Peg al drie maanden dood was.

Dat laatste was een beetje moeilijk te bevatten. Tante Peg was de levendigste persoon die Ginny ooit had gekend. Bovendien was ze pas vijfendertig. Dat getal was in Ginny's geheugen gegrift, want haar moeder zei het keer op keer. Vijfendertig nog maar. Levendige mensen van vijfendertig hoorden niet zomaar dood te gaan. Maar tante Peg dus wel. Ze hadden een telefoontje gekregen van een dokter in Engeland, die had uitgelegd dat tante Peg kanker had gekregen, dat het heel snel was gegaan en dat ze er alles aan hadden gedaan om haar te redden, maar tevergeefs.

Dat nieuws... die ziekte... Het was voor Ginny allemaal een ver-van-mijn-bedshow. Ze kon het eigenlijk nog steeds niet geloven. In haar beleving was tante Peg er gewoon nog en was ze nu met dit vliegtuig naar haar onderweg. Alleen tante Peg kon zoiets laten gebeuren. Niet dat Ginny er niets voor hoefde te doen. Om te beginnen moest ze zichzelf ervan overtuigen dat ze kon meegaan in wat gewoon weer zo'n krankzinnig plan leek van een tante die niet bekendstond om haar betrouwbare karakter. Toen ze daar eenmaal in was geslaagd, moest ze haar ouders nog overtuigen. Er waren belangrijke internationale verdragen waar minder lang over was onderhandeld.

Nu was het echter zover. Ze kon niet meer terug.

Het was koud in het vliegtuig. Heel koud. De lichten waren uit en aan de andere kant van de raampjes heerste volslagen duisternis. Iedereen behalve Ginny leek te slapen, ook de mensen aan weerszijden van haar. Ze kon zich niet bewegen zonder hen wakker te maken. Ze sloeg het piepkleine, nutteloze dekentje van de vliegmaatschappij om zich heen en drukte het pakketje tegen haar borst. Ze had zichzelf er nog niet toe kunnen zetten om het open te maken. In plaats daarvan had ze het grootste deel van de nacht door het donkere raampje van het vliegtuig naar een langwerpige schaduw en een stel knipperende lichten zitten staren. In eerste instantie dacht ze dat het de kust van New Jersey was, en later misschien IJsland of Ierland. Pas tegen de dageraad, toen ze op het punt stonden te gaan landen, zag ze dat het gewoon de vleugel was.

In de diepte lag onder een wattendek van wolken een lappendeken van groene vierkantjes. Land. Nog even en het vliegtuig werd aan de grond gezet, en dan zouden ze haar dwingen uit te stappen. In een vreemd land. Ginny was nog nooit zo ver van huis geweest, alleen naar Florida, en dan was er altijd iemand bij geweest.

Ze wrong het pakje los uit haar eigen handen en legde het op haar schoot. Het moment was nu duidelijk aangebroken om het te openen. Tijd om te ontdekken wat tante Peg voor haar in petto had.

Ze trok het zegel los en stak haar hand in de envelop.

In het pakje zat een hele stapel enveloppen, die sterk op die eerste leken. Ze waren allemaal blauw en van dik papier. Goede kwaliteit. Van die enveloppen die je bij chique kantoorboekwinkels kunt kopen. Op de voorkant van elke envelop stond een illustratie, die met pen en inkt of met waterverf was gemaakt. Er was een elastiekje twee keer omheen gewikkeld.

Het opvallendste was dat ze waren genummerd, van twee tot en met dertien. Op envelop nummer twee stond een tekening van een fles, met een etiket waarop stond: OPEN MIJ IN HET VLIEGTUIG.

Dat deed ze dan maar.

Lieve Ginger,

Hoe was het bij 4th Noodle? Dat
was alweer een tijdje geleden, hè?
Ik hoop dat je voor mij een portie
mie met gember hebt gegeten.

Ik ben me er terdege van bewust
dat ik je over een heleboel dingen een
verklaring schuldig ben, Gin. Maar ik ga je
eerst iets vertellen over mijn leven in New
York tot het moment, twee jaar geleden, dat ik
ben weggegaan.

Je weet vast wel dat ik een hoop commentaar
heb gekregen van je moeder (die nu eenmaal
veel om haar kleine zusje geeft) omdat ik nooit
een `echte baan´ heb gehad, nooit getrouwd ben
geweest en geen kinderen, een huis en een hond
heb gekregen. Zelf kon ik er niet zo mee
zitten. Ik vond dat ik alles goed deed en dat
alle andere mensen alles verkeerd deden.

Op een dag in november ging ik echter met
de metro naar mijn nieuwe uitzendbaantje. Die
blinde kerel met de blokfluit die altijd met
lijn 6 gaat, zat vlak bij mijn oor het thema
van *The Godfather* te spelen. Dat heeft hij
werkelijk elke keer in mijn leven gedaan als ik
met lijn 6 moest. Op 33rd Street stapte ik uit,
en bij de dichtstbijzijnde lunchroom kocht ik
voor 89 dollarcent een beker oude, verpieterde
koffie. Dat heb ik werkelijk elke keer in mijn
leven gedaan als ik naar een uitzendbaantje
op weg was.

Die dag zou ik aan de slag gaan bij een
kantoor in het Empire State Building. Ik moet
toegeven, Gin, dat ik altijd een beetje

19

sentimenteel word als het om dat prachtige
Empire State Building gaat. Als ik er alleen
maar naar kijk, wil ik al een liedje van Frank
Sinatra draaien en een beetje heen en weer
wiegen. Ik ben verliefd op dat gebouw. Ik was
er al een paar keer naar binnen geweest, maar
nog nooit om te werken. Ik heb altijd geweten
dat er ook kantoren zaten, maar het was nooit
echt tot me doorgedrongen. In het Empire State
Building werk je niet. In het Empire State
Building vraag je iemand ten huwelijk. Je
smokkelt er een fles drank naar binnen en
brengt een toost uit op de hele stad New York.

Toen ik erop afliep en besefte dat ik op het
punt stond dat schitterende gebouw binnen te
gaan om dossiers op alfabetische volgorde te
leggen of fotokopieën te maken, bleef ik
stokstijf stilstaan. Een beetje te plotseling,
eigenlijk. De man die achter me liep, botste
pardoes tegen me op.

Er moest iets verschrikkelijk mis zijn gegaan
in mijn leven, als ik met dat doel naar het
Empire State Building ging.

Zo is het allemaal begonnen, Gin. Daar, op de
stoep van 33rd Street. Die dag ben ik niet
naar mijn werk gegaan. Ik heb me omgedraaid
en ben met lijn 6 weer naar huis gegaan.
Hoeveel ik ook van mijn flat hield, iets in me
zei: het is zover! Tijd om te gaan! Net als dat
konijn uit Alice in Wonderland, dat voorbij
rent en zegt: 'Ik ben te laat!'

Waar ik precies te laat voor was, zou ik je
niet kunnen vertellen. Het gevoel was echter
zo sterk dat ik het niet van me af kon zetten.
Daarom meldde ik me ziek. In een kringetje liep

ik door mijn flat. Er klopte iets niet aan wat ik deed. Al veel te lang had ik in dat gerieflijke flatje gewoond. Ik had alleen maar saaie baantjes.

Ik moest denken aan alle kunstenaars voor wie ik zo veel bewondering had. Wat hadden die gedaan? Waar hadden ze gewoond? Nou, over het algemeen woonden ze in Europa.

En als ik nou eens gewoon naar Europa ging? Meteen? De mensen die ik bewonderde, hadden soms hongergeleden en maar net het hoofd boven water weten te houden, maar ze waren er wel creatiever door geworden. Dat wilde ik ook: creatief zijn.

Nog diezelfde avond had ik een vliegticket naar Londen op zak. Om het te kunnen betalen, had ik vijfhonderd dollar van een vriendin geleend. Ik gaf mezelf drie dagen de tijd om alles te regelen. Een paar keer heb ik de telefoon gepakt om je te bellen, maar ik wist niet wat ik moest zeggen. Waar ik naartoe ging, waarom... Op die vragen had ik geen antwoord. En ik wist niet hoe lang ik weg zou blijven.

Nu zit jij in hetzelfde schuitje. Je bent op weg naar Engeland en je hebt geen idee wat je te wachten staat. De weg die je moet volgen, je instructies — alles staat in deze brieven. Natuurlijk zit er een addertje onder het gras: je mag er maar één tegelijk openmaken, en je mag de volgende pas lezen als je de taak hebt uitgevoerd die in de vorige brief stond. Ik doe een beroep op je eerlijkheid. Je zou ze nu ook allemaal open kunnen maken, daar zou ik toch nooit achter komen. Maar ik meen het, Gin. Het werkt alleen als je doet wat ik zeg en ze een voor een openmaakt.

Zodra je bent geland, is je eerste taak van het vliegveld naar je logeeradres te gaan. Daarvoor moet je de metro nemen, die ze daar de *tube* noemen (wat in Amerika de *subway* heet). Daarvoor heb ik een briefje van tien pond bijgesloten. Het is dat paarse gevalletje met de koningin erop.

Je moet naar de halte die Angel heet, aan de Northern Line. Dan ben je in het deel van Londen dat Islington heet. Als je uitstapt, kom je uit op Essex Road. Sla rechtsaf. Loop ongeveer een minuut door, tot je bij Pennington Street komt. Houd links aan en zoek naar nummer 54a.

Klop aan. Wacht tot iemand de deur opendoet. Uitspoelen en behandeling herhalen zo vaak als nodig is, tot de deur opengaat.

Liefs,

je weggelopen tante

P.S. Je zult zien dat er ook een pinpas voor Barclays Bank in deze envelop zit. Natuurlijk zou het niet verstandig zijn geweest als ik de pincode in deze brief had geschreven. Als je bij 54a bent, moet je aan degene die daar woont, vragen: 'Wat heb je aan de koningin verkocht?' Het antwoord op die vraag is de pincode. Als je dat raadsel hebt opgelost, mag je envelop nummer 3 openen.

Pennington Street 54a, Londen

Ze stond ergens op vliegveld Heathrow. Ze was achter de andere mensen aan het vliegtuig uit geschuifeld, had de beruchte rugzak van de bagageband gepakt en een uur in de rij staan wachten voor een stempel in haar paspoort. De douanebeambten hadden haar volkomen genegeerd. Nu stond ze naar de kaart van de Londense metro te kijken.

Het leek wel een poster die was ontworpen om de aandacht van kleine kinderen te trekken. Hij was helwit en er liepen felgekleurde kronkellijnen overheen. De haltes hadden stevig klinkende namen, zoals Old Street en London Bridge. Of koninklijke: Earl's Court, Queensway, Knightsbridge. Of vermakelijke: Elephant & Castle, Oxford Circus, Marylebone. Ook waren er namen die ze herkende: Victoria Station, Paddington (waar de beer woonde), Waterloo. En daar was Angel. Om er te komen, moest ze overstappen bij een halte die King's Cross heette.

Ze pakte haar briefje van tien pond, zocht een kaartjesautomaat en volgde de instructies. Daarna liep ze naar een van de toegangspoortjes: een dubbele metalen deur die nog het meest leek op de ingang van een saloon. Niet wetend wat ze nu moest doen, keek ze om zich heen. Voorzichtig probeerde ze de poort open te duwen, maar dat lukte niet. Toen zag ze dat de vrouw naast haar haar kaartje in een gleuf boven in een metalen kist bij de poort stopte, waarop de deuren opengingen. Ginny volgde haar voorbeeld. Het apparaat slikte het kaartje met een bevredigend zuiggeluid in, en de deuren klapten open. Ze liep erdoor.

Iedereen ging dezelfde kant op, dus liep ze mee en probeerde niet tegen de koffers te botsen die de andere mensen achter zich aan trokken. Toen de trein stopte bij het strakke witte perron, kwam ze niet op het idee om vóór het instappen de rugzak af te doen, met als gevolg dat ze alleen maar op het uiterste randje van een stoel kon gaan zitten.

Deze metro was heel anders dan die van New York. Om te beginnen was de trein veel mooier. De deuren maakten een plezierig boing-geluid als ze opengingen, en een Britse stem waarschuwde haar dat ze moest oppassen voor het gat tussen de trein en het perron.

De trein kwam boven de grond. Ze reden achter een stel huizen langs. Toen ging hij weer ondergronds, waar de perrons steeds voller werden. Er schuifelden allerlei types naar binnen en naar buiten – van toeristen met kaarten en rugzakken tot mensen met een opgevouwen krant of een boek en een uitdrukkingsloos gezicht.

Een paar haltes later zei de vriendelijke Britse stem: 'Angel.' Ze kon zich niet omdraaien, dus moest ze achteruit uit de trein stappen, met haar voet naar het gat tastend. Op een bord dat bij het perron aan het plafond hing, stond UITGANG. Toen ze bij de uitgang kwam, stond daar weer zo'n metalen poort. Deze keer was Ginny ervan overtuigd dat hij vanzelf open zou gaan als ze eraan kwam, net als een automatische deur. Dat gebeurde echter niet. Zelfs niet toen ze er pardoes tegen opbotste.

Achter haar hoorde ze een geërgerde Britse stem zeggen: 'Je moet je kaartje erin stoppen, kind.'

Ze draaide zich om en zag een man met een marineblauw uniform en een feloranje veiligheidsvest.

'Ik heb er geen meer,' zei ze. 'Ik heb het al in dat andere apparaat gestopt. Dat heeft het ingeslikt.'

'Maar dan moet je het er weer uit pakken,' zei hij zuchtend. 'Het floept er aan de andere kant uit.'

Hij liep naar een van de metalen kistjes en drukte op een ongezien knopje of hendeltje. De poort klapte voor haar open. Ze liep er haastig doorheen, te gegeneerd om zelfs maar achterom te kijken.

Het eerste wat haar opviel toen ze buiten kwam, was de geur van pas gevallen regen. De stoep was nog nat en er waren veel mensen op de been, die allemaal beleefd om haar en haar grote rugzak heen liepen. De straat was volgepakt met echt Londens verkeer, net als op de foto's. De auto's reden dicht op elkaar, allemaal aan de verkeerde kant van de weg. Er kwam zelfs een echte rode dubbeldekker voorbij.

Zodra ze de hoofdweg had verlaten, werd het een stuk rustiger. Ze bevond zich in een smal straatje met precies in het midden een zigzaglijn. De huizen waren allemaal kalkwit en leken heel erg op elkaar, behalve dat de voordeur soms een andere kleur had (de meeste waren zwart, maar er zaten ook een paar rode en blauwe tussen). Ze hadden ook allemaal meerdere schoorstenen die uit het dak staken, naast antennes en satellietschotels. Dat was een bizar gezicht. Het leek net of er midden in een verhaal van Charles Dickens een UFO was neergestort.

Bij nummer 54a liep er een kronkelende barst over de zes betonnen traptreden die naar de voordeur leidden. Op het trapje stonden een paar grote bloempotten, met daarin planten die zo te zien nog nét niet expres werden vermoord. Ze waren klein en zwak, maar deden hun uiterste best. Iemand had duidelijk geprobeerd ze in leven te houden, maar was daar niet echt in geslaagd.

Ginny bleef onder aan de trap staan. De kans was groot dat dit een enorme fout was. Tante Peg had heel ongewone vrienden. Zoals die kamergenote die performancekunstenaar was en op het podium haar eigen haar opat. Of die man die uit protest een maand lang slechts door middel van interpretatieve dansbewegingen had gecommuniceerd. (Niemand wist precies waar hij tegen protesteerde.)

Nee. Ze was nu al zo ver gekomen, ze was niet van plan het bij de allereerste stap al op te geven. Ze liep de trap op en klopte aan.

'Ogenblikje,' riep iemand binnen. 'Momentje.'

Het was een Britse stem. (Dat had geen verrassing voor haar

moeten zijn, maar dat was het wel.) Een mannenstem. Niet oud. Ze hoorde gestommel – iemand rende de trap af. Toen vloog de deur open.

De man die voor haar stond, had zich nog maar half aangekleed. Het eerste wat Ginny verbaasde, was het feit dat hij de helft van een zwart pak droeg (namelijk de pantalon). Om zijn nek hing een losse zilverkleurige stropdas, en zijn overhemd was maar half in zijn broek gestopt. De vrienden van tante Peg droegen gewoonlijk geen nette pakken (of zelfs maar een deel ervan) en stropdassen. Iets minder verrassend was het feit dat hij knap was: lang, met heel donker, krullend haar en hoge, gewelfde wenkbrauwen. Tante Peg trok altijd mensen met veel karakter en charme aan.

De man gaapte haar even aan en stopte toen snel zijn overhemd in zijn broek.

'Ben jij Virginia?' vroeg hij.

'Yeah,' zei Ginny. Ze klonk wel heel Amerikaans als ze dat zo plat zei, en opeens viel haar eigen accent haar op. 'Ik bedoel: ja. Dat ben ik. Ik ben Ginny. Hoe wist u dat?'

'Een gokje,' zei hij met een blik op haar rugzak. 'Ik ben Richard.'

'Ik ben Ginny,' zei ze opnieuw. Ze schudde snel met haar hoofd om daar wat extra bloed naartoe te laten stromen.

Richard wist duidelijk even niet wat hij tegen haar moest zeggen. Uiteindelijk stak hij zijn hand uit naar haar rugzak.

'Je hebt geluk dat je me thuis treft. Ik wist niet precies wanneer je zou komen. Ik wist niet eens óf je wel zou komen.'

'Nou, hier ben ik dan,' zei ze.

Ze knikten even naar elkaar ter bevestiging, maar toen leek het of Richard letterlijk werd getroffen door een ingeving.

'Kom maar binnen,' zei hij.

Hij deed de deur verder open en grimaste maar een klein beetje toen hij Ginny van haar paars met groene rugzak verloste.

Richard gaf haar een korte rondleiding, die bewees dat Pennington Street 54a een heel gewoon huis was – geen kunstenaarskolonie, commune of sociologisch experiment. Het was bovendien eenvoudig ingericht. Het zag eruit alsof het zó uit een catalogus voor kantoorartikelen kwam. Gewone dunne vloerbedekking. Eenvoudige meubelen in simpel marineblauw en zwart. Niets aan de muren. Tenminste, niet tot ze bij een kleine, zonnige slaapkamer kwamen.

'Dit was Pegs kamer,' zei Richard toen hij de deur opende. Dat hoefde hij Ginny echter niet te vertellen. Het was een miniatuuruitvoering van het appartement boven 4th Noodle. Sterker nog, de kamer leek zo sterk op het appartement dat het bijna griezelig was. Niet dat ze het op precies dezelfde manier had ingericht en geverfd. Het zat 'm in de stijl. De muren waren roze geschilderd en vervolgens bedekt met een ingewikkelde collage van... nou ja, rommel, eigenlijk. (Als haar moeder zich aan haar jongere zus ergerde, maakte ze vaak opmerkingen over tante Pegs gewoonte om in vuilnisemmers te graaien. 'Ze heeft andermans afval aan haar muren hangen!')

Het was echter geen smerig, stinkend afval. Het waren etiketten, stukjes van oude tijdschriften, snoepwikkels. Als iemand anders had geprobeerd het na te doen, zou het resultaat duizelingwekkend en misselijkmakend zijn geweest. Tante Peg daarentegen was erin geslaagd het allemaal op kleur, lettertype en soort afbeelding te sorteren, zodat het eruitzag alsof het bij elkaar hoorde. Alsof er logica achter zat. De collage liet één muur vrij, en daaraan hing een poster die Ginny herkende. Het was een reproductie van een schilderij van een jonge vrouw achter een bar. Het was een oud schilderij, uit het eind van de negentiende eeuw. De vrouw droeg een elegante blauwe jurk, en de duur uitziende marmeren bar stond vol met flessen. In de spiegel die achter haar hing, was een kamer vol mensen en een variétéshow zichtbaar. Ze keek echter heel, heel verveeld.

'Dat is van Manet,' zei ze. 'Het heet *De bar van de Folies-Bergère*.'

'O ja?'

Richard knipperde met zijn ogen alsof hij de poster daar nog nooit had zien hangen. 'Ik weet eigenlijk helemaal niets over kunst,' zei hij verontschuldigend. 'Maar het is best een mooi schilderij. Mooie... kleuren.'

Lekker is dat, dacht Ginny. Nu dacht hij waarschijnlijk dat ze een of andere kunstnerd was die alleen maar was gekomen omdat ze te oud was geworden voor het zomerkamp voor kunstnerds. Ze kende de naam en de maker van dit schilderij alleen omdat tante Peg in haar appartement precies dezelfde poster had hangen, en omdat onderaan de titel en de naam van de kunstenaar waren afgedrukt.

Richard stond nog steeds naar de poster te staren.

'Ik weet er eigenlijk ook niet zo veel van,' zei ze. 'Het geeft niet.'

'O. Oké.' Dat leek hem een beetje gerust te stellen. 'Zo te zien ben je uitgeput. Wil je misschien even slapen? Nogmaals, het spijt me. Had ik maar geweten wanneer... Maar je bent er nu, dus...'

Ginny keek naar de kleurige sprei met het wilde patroon die op het bed lag. Ook dat was het werk van tante Peg. Overal in haar appartement had haar tante net zulke spullen gehad, gemaakt van willekeurig gekozen stukjes stof die slecht bij elkaar pasten. Ze wilde zo graag languit op het bed gaan liggen dat ze het verlangen bijna kon proeven.

'Nou, ik... ik moet weg,' zei hij. 'Heb je misschien zin om mee te gaan? Ik werk bij Harrods. Het grote warenhuis. Als je Londen wilt zien, kun je net zo goed daar beginnen. Peg was dol op Harrods. Dan regelen we de rest later wel. Wat zeg je ervan?'

'Oké,' zei Ginny met een laatste spijtige blik op het bed. 'Dan gaan we maar.'

Harrods

In de metro kon Ginny haar hoofd er niet helemaal bijhouden – ze dreigde telkens in te dommelen. Het was spitsuur en ze moesten staan. Het ritme van de trein wiegde haar in slaap. Het kostte haar grote moeite om te voorkomen dat ze door haar wankele benen zakte en tegen Richard aan viel.

Richard deed duidelijk zijn best om het gesprek op gang te houden. Hij noemde allerlei dingen op die je vanuit een bepaalde halte kon gaan bekijken, van grote attracties (Buckingham Palace, Hyde Park) tot kleine bezienswaardigheden (zijn tandarts, 'een heel goed Thais afhaalrestaurant'). Zijn woorden sijpelden haar oren binnen door de kabbelende warboel van zintuiglijke waarnemingen die haar belaagde. Britse stemmen kolkten om haar hoofd. Haar blik ging over de advertenties die vlak onder het plafond van de coupé hingen. Ze waren in haar moedertaal, maar de betekenis van veel posters ontging haar. Het leek wel of het stuk voor stuk grapjes waren die zij als buitenstaander niet kon begrijpen.

'Je lijkt erg op Peg,' zei hij. Dat trok haar aandacht.

Dat klopte wel een beetje. Ze hadden in elk geval hetzelfde soort haar: lang en heel donker chocoladebruin. Tante Peg was iets kleiner dan Ginny. Ze was tenger gebouwd en had een statige houding, waardoor veel mensen veronderstelden dat ze danseres was. Haar gelaatstrekken waren heel delicaat. Ginny was langer en voller. In alle opzichten groter. Minder fijntjes.

'Een beetje,' zei ze.

'Nee, heel veel juist. Het is echt ongelooflijk...' Hij hield zich vast aan een lus die boven zijn hoofd hing en keek met een intense blik op haar neer. Iets aan zijn blik wist door Ginny's uitputting heen te dringen, en ze betrapte zichzelf erop dat ze zijn blik al even intens beantwoordde. Daar schrokken ze allebei van, en ze keken op hetzelfde moment weg. Richard zei niets meer, tot ze bij de volgende halte waren. Hij vertelde Ginny dat dit Knightsbridge was. Hier moesten ze eruit.

Ze kwamen uit op een drukke Londense straat. De weg stond mudvol rode bussen, zwarte taxi's, piepkleine autootjes, motoren... Op de stoep kon er geen mens meer bij. Hoewel haar gedachten nog steeds wat troebel waren, voelde Ginny bij de aanblik van dat alles een energiestoot door haar lijf trekken.

Richard stuurde haar de hoek om naar een gebouw waar geen eind aan leek te komen. Het was één lange, hoge muur van roodgouden stenen, met sierlijsten en een koepel op het dak. Groene luifels staken uit boven tientallen etalages, waarin luxueus ogende uitstallingen stonden van kleren, parfum, cosmetica, knuffeldieren en zelfs een auto. Op elke luifel was in goudgele letters het woord HARRODS gedrukt. Richard leidde Ginny langs de etalages, de hoofdingang en de portier, om het gebouw heen naar een onopvallend hoekje bij een grote afvalcontainer.

'Daar zijn we dan,' zei Richard, wijzend op de zijkant van het gebouw en een deur waar ALLEEN VOOR PERSONEEL op stond. 'We gaan via de zijdeur naar binnen. Het is daarbinnen vaak een gekkenhuis. Harrods is een belangrijke toeristenattractie. We krijgen echt duizenden mensen per dag over de vloer.'

Ze liepen een helwitte gang met een hele rij liften in. Op een bord naast de deur stonden de verschillende afdelingen en verdiepingen op een rijtje. Ginny vroeg zich af of ze het soms verkeerd las: AIR HARRODS HELIKOPTERSERVICE, AIR HARRODS STRAALVLIEGTUIGEN, BESPANNEN VAN TENNISRACKETS, STEMMEN VAN PIANO'S, ZADELMAKERIJ, OP MAAT MAKEN VAN HONDENJASSEN...

'Ik moet een paar dingen regelen,' zei Richard. 'Misschien kun je even rondlopen, in de winkel rondkijken? Dan zien we elkaar hier over een uur weer. Die deur leidt naar de begane grond. Er is genoeg te zien bij Harrods.'

Ginny stond nog steeds naar OP MAAT MAKEN VAN HON-
DENJASSEN te kijken.

'Als je verdwaalt,' zei hij, 'moet je iemand de afdeling Speciale Diensten laten bellen en naar mij vragen, goed? Mijn ach-
ternaam is trouwens Murphy. Vraag maar naar meneer Murphy.'

'Oké.'

Hij toetste een code in op een numeriek toetsenbordje, en
de deur ging met een klik open.

'Leuk dat je er bent,' zei hij met een brede grijns. 'Ik zie je
over een uur.'

Ginny stak haar hoofd om de hoek van de deur. Daar stond
een vitrinekast met een miniatuurspeedboot erin, net groot genoeg voor een kind. Hij was olijfgroen en op de boeg stond de
naam HARRODS. Op het bordje stond: VAARKLAAR: 20.000
POND.

En dan al die mensen. Reusachtige, angstaanjagende drom-
men die door de deuren naar binnen stroomden en zich voor
de vitrines verdrongen. Voorzichtig begaf ze zich tussen het publiek, en meteen werd ze door de stroom meegezogen. Ze werd
langs de reparatiebalie voor sigarettenaanstekers geduwd, onder een gedenkboog voor prinses Diana door en dwars door
een koffieshop van Starbucks heen, en gedumpt op een roltrap
die helemaal was versierd met Egyptische kunstschatten (of in
elk geval heel goede reproducties).

Ze ging langs de hiërogliefen en standbeelden omhoog, tot
de rivier van mensen haar afzette in een soort kindertheater
waar net een poppenkastvoorstelling gaande was. Min of meer
op eigen gelegenheid slaagde ze erin door die zaal heen te komen, maar de massa kreeg haar weer in zijn greep op het moment dat ze door een deur liep naar een afdeling vol smokings
voor baby's en peuters.

De afdelingen leken in een volkomen willekeurige, onlogi-
sche volgorde van kleine en grote ruimtes aan elkaar te zijn geplakt. Iedere vertakking leidde naar iets nog eigenaardigers, en
ze zag niets wat op een uitgang leek. Er was altijd alleen maar

méér. Ze ging van een zaal vol kleurige keukenapparaten naar een ruimte die helemaal vol stond met piano's. Van daaruit werd ze meegesleurd naar een afdeling met benodigdheden voor exotische huisdieren. Daarna kwam een zaal vol vrouwenaccessoires, waar alles – handtasjes, zijden sjaals, portemonnees, schoenen – lichtblauw was. Zelfs de muren waren lichtblauw. De menigte slokte haar weer op. Nu was ze in een boekwinkel – en toen stond ze weer op de Egyptische roltrap.

Ze ging helemaal naar beneden en kwam terecht in een soort etenswarenwinkel, die bestond uit de ene na de andere gigantische zaal vol eten in alle soorten en maten, verdeeld over een eindeloze reeks schappen en vitrines: enorme koepels van glas in alle kleuren van de regenboog en glanzend koper. Sierkarren vol piramidevormige stapels volmaakte vruchten. Marmeren toonbanken volgepakt met stukken chocola.

Haar ogen begonnen te tranen. De stemmen om haar heen gonsden in haar hoofd. De energiestoot die ze op straat had ervaren, was afgesleten door de drukte, weggebrand door de kleuren. Ze betrapte zichzelf erop dat ze fantaseerde over alle plaatsen waar ze een dutje zou kunnen doen. Onder het nepkarretje met Parmezaanse kaas. Op de grond naast de schappen vol cacaopoeder. Misschien gewoon midden op de vloer. Misschien zou iedereen gewoon over haar heen stappen.

Ze slaagde erin zich uit de menigte los te maken en de chocoladeafdeling te bereiken. De jonge vrouw met de korte, strakke, blonde paardenstaart die achter de toonbank stond, kwam op haar af.

'Neemt u me niet kwalijk,' zei Ginny. 'Zou u misschien meneer Murphy voor me willen bellen?'

'Wie?' vroeg de vrouw.

'Richard Murphy?'

De vrouw keek erg sceptisch, maar toch pakte ze beleefd een stapel van zo te zien wel duizend vellen vol namen en telefoonnummers en bladerde er systematisch doorheen.

'Charles Murphy van Speciale Bestellingen?'

'Nee, Richard Murphy.'

Nog een paar honderd bladzijden. Ginny betrapte zichzelf erop dat ze de rand van de balie stevig omklemde.

'Aha... Daar hebben we hem. Richard Murphy. En wat moet ik tegen hem zeggen?'

'Kunt u tegen hem zeggen dat Ginny hem nodig heeft?' vroeg ze. 'Kunt u hem vertellen dat ik weg moet?'

Goedemorgen Engeland

Op de kleine wekker stond 8:06. Ze lag in bed met al haar kleren nog aan. Het was koel en de hemel was parelgrijs.

Ze kon zich vagelijk herinneren dat Richard haar bij Harrods in een zwarte taxi had gezet. Dat ze bij zijn huis was aangekomen. Dat ze had gestunteld met de sleutels en voor haar gevoel zeker zes sloten had opengemaakt. Dat ze de trap op was gestrompeld. Dat ze zich volledig aangekleed op de sprei had laten vallen met haar voeten over de rand, zodat haar sportschoenen het bed niet raakten.

Ze schopte met haar voeten. Die hingen nog steeds over de rand van het bed.

Ze keek om zich heen naar de kamer. Vreemd om hier wakker te worden – niet alleen in een ander land (een ander land... Door een hele oceaan van iedereen gescheiden... Ze zou níét in paniek raken), dat was niet het enige. Heel even was het alsof ze terug was gegaan in de tijd, en tante Peg net zachtjes neuriënd door de kamer had gelopen. (Tante Peg neuriede heel vaak. Dat was best wel irritant.)

Toen ze de gang op liep en de keuken in tuurde, zag ze dat Richard zich had omgekleed. Nu had hij een joggingbroek en een T-shirt aan.

'Morgen,' zei hij.

Dat sloeg nergens op.

'Morgen?' herhaalde ze.

'Het is ochtend,' zei hij. 'Je was kennelijk uitgeput. Jetlag. Ik had je gisteren niet moeten meeslepen naar Harrods terwijl je zo moe was.'

Gisteren. Nu drong het eindelijk tot haar door. Acht uur 's ochtends. Ze was een hele dag kwijt.

'Sorry,' zei ze snel. 'Het spijt me echt heel erg.'

'Je hoeft je niet te verontschuldigen. Jouw beurt om in bad te gaan.'

Ze liep terug naar de slaapkamer om haar spullen bij elkaar te rapen. In de brief had gestaan dat ze geen reisgidsen mocht meenemen, maar dat betekende niet dat ze er van tevoren niet even een paar mocht inkijken. Dat had ze dan ook gedaan, en vervolgens had ze alleen maar ingepakt wat ze mocht inpakken. Haar tas zat vol 'neutrale basiskleding' die niet gestreken hoefde te worden, over elkaar heen gedragen konden worden en waarmee ze nergens iemand voor het hoofd kon stoten. Spijkerbroeken. Korte cargobroeken. Praktische schoenen. Eén zwarte rok die ze niet mooi vond. Ze pakte een spijkerbroek en een T-shirt.

Toen ze alles had gevonden wat ze nodig had, vond Ginny het opeens een gênant idee dat Richard haar met haar armen vol spullen naar de badkamer zou zien gaan. Ze stak haar hoofd naar buiten en toen ze zag dat Richard met zijn rug naar haar toe stond, rende ze door de gang en deed snel de deur achter zich dicht.

Pas in de badkamer drong echt tot Ginny door dat ze in het huis van een man was. Een mannenhuis. Het huis van een ietwat slordige Engelsman. Thuis was de badkamer volgepropt met handgemaakte muurversieringen van riet, zeeschelpen en potpourri die naar een winkeltje voor badartikelen rook. Deze badkamer was strakblauw, met blauwe vloerbedekking en donkerblauwe handdoeken. Geen versieringen. Alleen maar een schapje met scheerschuim (onbekend merk in een enigszins futuristisch ogende bus), een scheermes, een paar mannenartikelen van The Body Shop (allemaal lichtbruine of ambergele spulletjes die er heel serieus uitzagen – ze wíst gewoon dat ze allemaal naar bomen roken, of naar iets anders typisch mannelijks).

Al haar toiletspullen waren zorgvuldig verpakt in een plastic zak, die ze op de vloerbedekking neerzette. (Kamerbreed; dik maar helemaal platgetrapt. Wie legde er nu vloerbedekking in een badkamer?) Haar spullen waren allemaal roze – had ze expres zo veel roze dingetjes gekocht? Roze zeep, roze shampoo in een miniflesje, roze scheermesje. Waarom? Waarom was ze zo roze?

Ze nam even de tijd om de luxaflex voor het grote raam dicht te maken. Toen draaide ze zich om naar de badkuip. Ze keek naar de muur en toen naar het plafond.

Er was geen douchekop. Richard had het dus heel letterlijk bedoeld toen hij zei dat het haar beurt was om in bad te gaan. Ze had aangenomen dat het gewoon een typisch Britse uitdrukking was. Het was echter heel letterlijk bedoeld.

Bij het bad lag een Y-vormige rubberen slang. Aan de uiteinden van de korte pootjes van de Y zaten open zuignappen en aan het eind van het lange stuk zat iets wat sprekend op een telefoon leek. Nadat ze de badkuip en het apparaat aan een grondig onderzoek had onderworpen, kwam Ginny tot de conclusie dat ze de zuignappen op de twee kranen moest bevestigen, waarna er water uit de telefoon zou komen. Die kon ze dan als een soort douche gebruiken.

Ze probeerde het uit.

Het water spootte omhoog naar het plafond. Snel richtte ze de douchetelefoon op het bad en sprong erin. Het bleek echter onmogelijk om jezelf te wassen en tegelijk de douchetelefoon te hanteren, dus gaf ze het op en liet het bad vollopen. Ze had niet meer in bad gezeten sinds ze een klein kind was en ze voelde zich een beetje suf zoals ze daar in het water zat. Het bad produceerde bovendien vreselijk veel kabaal. Elke beweging veroorzaakte een klotsend geluid dat op beschamende wijze weerkaatste. Ze probeerde haar bewegingen zo klein mogelijk te houden terwijl ze zich waste, maar toen ze zichzelf onder water moest laten zakken om haar haren nat te maken, werden al haar inspanningen tenietgedaan. Ze was ervan overtuigd dat het nog minder lawaai zou maken als je een cruiseschip te water liet.

Toen het drama met het bad achter de rug was, besefte ze dat ze nog een probleem had, een waar ze absoluut niet op had gerekend. Haar haren waren drijfnat en ze kon ze niet drogen. Ze had geen föhn meegenomen, aangezien die hier toch niet zou werken. Het leek erop dat ze geen andere keus had dan ze snel in een vlecht te doen.

Toen ze naar buiten kwam, zag ze dat Richard al helemaal was aangekleed. Zo te zien droeg hij hetzelfde pak en dezelfde stropdas als de dag ervoor.

'Ik hoop dat het allemaal is gelukt,' zei hij verontschuldigend. 'Ik heb geen douche.'

Hij had waarschijnlijk tot in de keuken kunnen horen dat ze in het bad rondklotste.

Richard trok het ene keukenkastje na het andere open om haar te laten zien waar alles stond wat ze eventueel als ontbijt zou kunnen nuttigen. Hij was duidelijk niet op haar bezoek voorbereid geweest, want hij kon haar alleen maar een overgebleven stukje brood aanbieden, een potje met een of ander bruin goedje dat Marmite heette, een appel en 'wat er eventueel in de koelkast ligt'.

'Ik heb hier ook nog wat Ribena, als je daar zin in hebt,' voegde hij eraan toe. Hij pakte een fles met iets wat op druivensap leek en zette die voor Ginny's neus op tafel. Hij excuseerde zich even. Ginny pakte een glas en schonk wat sap voor zichzelf in. Het was lauw en ontzettend dik. Ze nam een slokje en moest een beetje kokhalzen toen de sterk smakende, veel te zoete siroop door haar keel gleed.

'Eh...' Richard stond nu in de deuropening van de keuken met een beschaamd gezicht naar het tafereel te kijken. 'Je moet het aanlengen met water. Dat had ik er even bij moeten zeggen.'

'O,' zei Ginny. Ze slikte moeizaam.

'Ik moet er nu vandoor,' zei hij. 'Het spijt me... We hebben helemaal geen kans gehad om te praten. Kom anders tussen de middag naar Harrods, dan gaan we samen lunchen. Kom om twaalf uur maar naar Mo's Diner. Mocht je jezelf buitensluiten, er ligt altijd een reservesleutel in de barst van het stoepje.'

Hij nam zorgvuldig de metroreis van het huis naar Harrods

met haar door en vroeg haar het precies te herhalen. Toen somde hij alle busmogelijkheden voor haar op, maar voor Ginny was het alleen maar een verwarrende reeks getallen. Toen was hij weg en zat Ginny alleen aan de tafel met haar glas siroop. Ze keek er zuur naar, want ze was nog steeds een beetje boos om Richards gezicht toen hij het haar had zien drinken. Ze pakte de fles om te kijken of er een soort waarschuwing op stond, iets wat aangaf dat het geen gewoon vruchtensap was – het maakte niet uit wat, zolang het maar bewees dat haar gedrag nog niet zo vreemd was geweest.

Tot haar opluchting stond er niets op de fles waar ze iets aan zou hebben gehad. Er stond dat er iets in zat wat 'zwartebessensquash' heette. Het was 'slechts 89 pence!' Het was geproduceerd in het Verenigd Koninkrijk. En daar was ze nu. Ze was in een ver, ver koninkrijk.

En wie was die Richard eigenlijk, behalve een man in een pak die in een groot warenhuis werkte? Ze liet haar blik door de keuken glijden en kwam tot de conclusie dat hij absoluut vrijgezel was. Er was relatief weinig eten en drinken in huis, alleen dingen als dat lauwe aanmaakspul. Op de stoelen vlak bij de muur lagen een paar kleren, en op de tafel kruimels en korreltjes oploskoffie.

Wie hij ook was, hij had tante Peg zo lang laten blijven dat ze een hele kamer kon inrichten. Het had vast heel veel tijd gekost om de collage te maken en de sprei te naaien. Ze moest hier maanden hebben gewoond.

Ze stond op om het pakketje met brieven te halen. Nadat ze een plekje op de tafel had schoongeveegd, spreidde ze de enveloppen uit op de tafel. Ze bekeek de elf ongeopende enveloppen zorgvuldig. Op de meeste stond niet alleen een cijfer, maar ook een tekeningetje. Op de voorkant van de volgende stond een waterverfplaatje in de stijl van een Algemeen Fondskaartje van Monopoly. Tante Peg had haar eigen versie van het mannetje met de hoge hoed en de monocle gecreëerd, met op de achtergrond een heel dik, rond vliegtuig dat voorbijkwam. Ze had zelfs letters geschetst die leken op het lettertype op de

Monopoly-kaartjes. Er stond: OPENEN OP DE OCHTEND NA DE SUCCESVOLLE AFRONDING VAN DE OPDRACHT IN ENVELOP 2.

Dan moest ze eerst aan Richard vragen wat hij aan de koningin had verkocht en een pinautomaat zien te vinden. Ze had toch geld nodig. Nu had ze alleen een handjevol muntjes met een vreemde vorm, en ze hoopte maar dat ze daar genoeg aan had om bij Harrods te komen.

Ginny griste het blaadje van tafel met de routebeschrijving die Richard nog maar een paar minuten geleden voor haar had opgeschreven, goot het afschuwelijke sap door de gootsteen en liep naar de deur.

Richard en de koningin

Er kwam een rode bus op Ginny af. Op het bord op de voorkant stonden verscheidene bestemmingen die haar bekend
voorkwamen, waaronder Knightsbridge, en het nummer klopte met een van de busnummers die Richard had opgegeven.
Ongeveer een meter verderop was er een bushokje en het zag
ernaar uit dat de bus daar ging stoppen.

Twee zwarte palen met brandende gele lichtbollen erop mar-
keerden het begin van een zebrapad. Ginny rende erop af, keek
vlug even opzij om te zien of de kust veilig was en schoot de
straat op.

Plotseling klonk er getoeter. Een grote, zwarte taxi stoof
langs haar heen. Toen Ginny achteruit sprong, zag ze dat er
iets op de weg stond. NAAR LINKS KIJKEN.

'Alsof ze me kennen,' mompelde ze.

Ze slaagde erin veilig de weg over te steken en probeerde er
niet bij stil te staan dat iedereen aan haar kant van de bus zojuist getuige was geweest van haar bijna-doodervaring.

Ginny had geen idee hoeveel ze aan de buschauffeur moest
betalen. Hulpeloos hield ze hem het kleine beetje geld voor dat
ze nog had, en hij pakte een van de dikke munten. Ze liep over
een smalle wenteltrap midden in de bus naar boven. Er waren
nog heel veel stoelen vrij, en Ginny nam een van de voorste.
De bus kwam in beweging.

Ze had het gevoel dat ze zweefde. Vanaf de plek waar ze zat,
leek het of de bus talloze voetgangers en fietsers overreed – ze
gewoon verpletterde. Ze schoof verder naar achteren op haar
stoel en probeerde er geen aandacht aan te besteden. (Maar die
ene man met die mobiele telefoon, die hadden ze doodgereden,
dat kón niet anders. Ginny wachtte op de hobbel waarmee de

bus over zijn lichaam heen zou rijden, maar die kwam niet.)

Verwonderd keek ze om zich heen naar de indrukwekkende gevels van de statige gebouwen. Van het ene op het andere moment werd de bewolkte lucht grijs en opeens sloegen er regendruppels tegen de brede ramen voor haar. Nu leek het of ze enorme mensenmenigten met paraplu's neermaaiden.

Ze keek naar de paar muntjes die ze nog over had.

Naast het appartement boven 4th Noodle was er één andere constante in tante Pegs leven geweest: ze was altijd blut. Altijd. Dat wist Ginny al toen ze nog maar heel klein was en nog niets hoorde te weten over de financiële situatie van haar familieleden. Haar ouders hadden het echter op de een of andere manier altijd heel duidelijk weten te maken zonder het hardop te zeggen.

Toch leek het er nooit op dat tante Peg iets tekort kwam. Ze had altijd genoeg geld om Ginny bij Serendipity op warme chocolademelk met slagroom te trakteren, of om supergedetailleerde halloweenkostuums te maken, of om bergen schilderspullen te kopen, of dat potje eersteklas kaviaar dat ze een keer had gehaald omdat ze vond dat Ginny het een keer geproefd moest hebben. ('Als je dan toch een keer visseneitjes gaat proeven, moet je het meteen goed doen,' had ze gezegd. Toch was het hartstikke smerig geweest.)

Ginny wist niet goed of ze geloofde dat er bij de pinautomaat extra geld voor haar klaarlag. Misschien wel, want het zou immers geen écht geld zijn, maar Engelse ponden. Engelse ponden leken haar wel mogelijk. Engelse ponden: dat klonk alsof het kleine linnen zakjes waren met een ruw koordje eromheen, gevuld met kleine stukjes metaal of glanzende voorwerpen. Met dat soort geld kon ze zich tante Peg wel voorstellen.

Ze had er een paar ritjes op de roltrappen voor nodig en moest een paar keer op de plattegrond van Harrods kijken, maar uiteindelijk wist ze Mo's Diner te vinden. Richard zat al aan een tafeltje te wachten. Hij bestelde biefstuk en zij nam de 'reuzenhamburger naar Amerikaans recept!'

'Ik moet je vragen wat je aan de koningin hebt verkocht,' zei ze.

Hij glimlachte en deed ketchup op zijn biefstuk. Ginny vocht tegen de aandrang om ineen te krimpen.

'Het is mijn taak om speciale bestellingen te verzorgen en bijzondere klanten op te vangen,' zei hij, zonder iets te merken van het vieze gezicht dat ze trok. 'Stel dat een ster op locatie aan het filmen is en niet aan zijn favoriete chocola, zeep, lakens of wat dan ook kan komen... Dan zorg ik ervoor dat hij het krijgt. Vorig jaar heb ik alle kerstmanden van Sting samengesteld en keurig laten inpakken. En af en toe, heel af en toe, moet ik koninklijke gasten opvangen. Dan openen we de winkel op een speciaal tijdstip en zorg ik ervoor dat er op alle noodzakelijke afdelingen iemand aanwezig is. Op een dag kregen we een telefoontje vanuit het paleis en werd ons verteld dat de koningin een paar uur later, diezelfde avond nog, wilde komen winkelen. Dat doet ze nooit. Ze kondigt haar bezoeken altijd weken van tevoren zorgvuldig aan. Maar die avond wilde ze komen winkelen en er was verder niemand beschikbaar. Dus moest ik haar assisteren.'

'Wat wilde ze?' vroeg Ginny.

'Broeken,' zei hij terwijl hij nog meer ketchup op zijn biefstuk deed. 'Onderbroeken. Heel grote. Heel chique natuurlijk, maar wel heel grote. Ik geloof dat ze ook nog kousjes heeft gekocht, maar het enige waar ik aan kon denken terwijl ik ze in tissuepapier wikkelde, was: ik sta de onderbroeken van de koningin in te pakken. Dat vond Peg altijd een prachtig verhaal.'

Bij het horen van Pegs naam keek Ginny op.

'Grappig,' ging hij verder. 'Ik heb geen idee wat je hier moet doen en hoelang je wordt geacht te blijven, maar je bent welkom, zo lang als je wilt.'

Hij klonk heel oprecht, maar hield zijn blik op de biefstuk gericht.

'Dank je,' zei ze. 'Tante Peg zal wel aan je hebben gevraagd of ik mocht komen.'

'Ze heeft wel een keer gezegd dat ze dat graag zou willen.

Ik heb het pakketje opgestuurd. Maar dat wist je vast al.'

Niet dus, maar het was ergens wel logisch. Iemand moest het immers hebben verstuurd.

'Dus ze was je huisgenoot?' vroeg Ginny.

'Ja. We waren goede vrienden.' Hij duwde zijn biefstuk een tijdje heen en weer. 'Ze heeft me veel over je verteld. En over je familie. Ik had het gevoel dat ik je al kende, voordat je hier kwam.'

Hij goot nog een beetje ketchup over de biefstuk, zette de fles toen nadrukkelijk neer en keek haar aan.

'Zeg, als je erover wilt praten...'

'Hoeft niet,' zei ze. Zijn plotselinge directheid... De gevoeligheid van het onderwerp, dat niet bij naam werd genoemd... Ze werd er nerveus van.

'Oké,' zei hij snel. 'Natuurlijk.'

De serveerster liet vlak naast hun tafeltje een handvol vorken vallen. Ze keken allebei zwegend toe terwijl ze ze opraapte.

'Is er hierbinnen ergens een pinautomaat?' vroeg Ginny uiteindelijk.

'Meer dan een zelfs,' zei hij, duidelijk blij dat ze over iets anders konden praten. 'Ik zal je ernaartoe brengen als we uitgegeten zijn.'

Dat was al een paar minuten later, want opeens gingen ze heel snel eten. Richard bracht Ginny naar de pinautomaat en ging weer aan het werk, met de belofte dat ze elkaar die avond zouden zien.

Tot haar opluchting ontdekte Ginny dat Engelse pinautomaten er net zo uitzagen als Amerikaanse, inclusief het toetsenbord met alle letters van het alfabet boven de cijfers, net als op een mobieltje. Ze liep op een automaat af en stak de pas in de gleuf. De automaat vroeg beleefd om haar pincode.

'Goed,' zei Ginny. 'Daar gaan we dan.'

Ze toetste het woord 'broek' in. De automaat zoemde, liet een paar advertenties zien over sparen voor een eigen huis, en vroeg haar vervolgens hoeveel geld ze wilde.

Ze had geen idee hoeveel ze wilde, maar ze moest iets kiezen. Een of ander getal. Er waren heel veel getallen waar ze uit kon kiezen.

TWINTIG POND A.U.B. Dat leek haar een mooi basisbedrag.

Nee. Ze moest het allemaal zelf doen. Ze moest spullen kopen en had reisgeld nodig, dus...

HONDERD POND A.U.B.

De automaat vroeg een ogenblik geduld. Ginny voelde haar maag omkeren. Toen kwam er een stapeltje blauwe en paarse biljetten (van verschillende afmetingen: de paarse waren groot en de blauwe klein) met afbeeldingen van de koningin erop uit de gleuf. (Nu snapte Ginny het. Het grapje van tante Peg zorgde er meteen voor dat ze de pincode nooit zou vergeten.) De grote bankbiljetten pasten niet in haar portemonnee, dus ze moest ze erin proppen.

Haar saldo, zei de automaat, bedroeg 1856 pond. Tante Peg was over de brug gekomen.

Lieve Ginny,

Laten we meteen ter zake komen.
Vandaag is de dag van de
mysterieuze weldoener. Waarom
een Dag van de Mysterieuze
Weldoener? Nou, Gin, ik zal je een
reden geven: omdat talent alleen niet
genoeg is om kunstenaar te worden. Je hebt
een beetje hulp van het lot nodig, een beetje
geluk, een duwtje in de rug. Zelf ben ik zomaar
iemand tegen het lijf gelopen die me wilde
helpen, en nu wordt het tijd om iets terug te
doen. Maar het is ook goed om een beetje
mysterieus te blijven. Om mensen te laten
denken dat bepaalde dingen hen zomaar, zonder
reden overkomen. Ik heb altijd een goede
petemoei willen zijn, Gin, dus wil je me daar
een handje bij helpen?
Stap één: haal 500 pond van de rekening.
Stap twee: zoek een artiest in Londen wiens
werk je goed vindt, iemand van wie je vindt
dat hij een kans moet krijgen. Dat betekent
dat je goed om je heen moet kijken. Het maakt
niet uit wat voor artiest het is: een schilder,
een musicus, een schrijver, een toneelspeler.
Stap drie: word een mysterieuze weldoener.
Koop een nieuwe onzichtbare kist voor een
mimespeler, koop een kilometer nieuwe snaren
voor een violist, lever een jaarvoorraad sla
af bij een balletstudio... Wat je maar wilt.
Ik kan denk ik wel raden wat je denkt: dat
lukt nooit in één dag! Maar alles kan, Gin. Dat
is je opdracht. Als je hem met succes hebt
volbracht, mag je de volgende brief openen.

Liefs,

je weggelopen tante

De weldoener

Nadat Ginny de volgende ochtend de brief nog een keer had gelezen en wat in het bad had rondgeklotst, ging ze bij Richard aan de keukentafel zitten. Hij was nonchalant gekleed – zijn overhemd was nog niet dichtgeknoopt en zijn stropdas hing los – en hij bladerde vluchtig door het sportkatern van de krant terwijl hij stukken geroosterd brood in zijn mond stak.

'Ik moet vandaag een artiest zien te vinden,' zei ze. 'Iemand die geld nodig heeft.'

'Een artiest?' vroeg hij met volle mond. 'O jeetje. Dat klinkt als een opdracht van Peg. Ik weet eigenlijk niet zo veel over dat soort dingen.'

'O. Geeft niet.'

'Nee, nee,' zei hij. 'Laat me eens denken. Zo moeilijk kan het toch niet zijn? Zo moeilijk is het toch niet om mensen geld te geven?'

Hij kauwde nog even bedachtzaam op zijn geroosterde boterham.

'Wacht eens even,' zei hij. 'We kijken gewoon even in *Time Out*. Dat is het.'

Hij stak zijn hand onder een stapel overhemden op een van de keukenstoelen, tastte even in het rond en haalde een tijdschrift tevoorschijn. Ginny had sterk het vermoeden dat tante Peg nooit was op de stoelen had laten rondslingeren toen ze hier logeerde. Voor iemand met zo'n ongeordende levensstijl, was ze erg op orde en netheid gesteld.

'Hier staat alles in vermeld,' zei Richard opgewekt terwijl hij het tijdschrift opensloeg. 'Allerlei films, kunstfestivals... Daar heb je er al een, hier vlakbij. Izzy's Café in Islington. *Studies van Sheila*, schilderijen van Romily Mezogarden. En hier

46

heb je er nog een... Klinkt een beetje vreemd. Harry Smalls, sloopartiest. Dat is vlak om de hoek. Ik kan wel even met je meelopen, als je wilt.'

Hij leek oprecht in zijn nopjes omdat hij iets had weten te vinden.

Ginny was nog niet helemaal klaar, maar ze kneep gehaast wat water uit haar vlechten en trok haar sportschoenen aan. Ze slaagde erin een fractie van een seconde eerder bij de voordeur te zijn dan hij, en ze liepen samen de miezerregen in.

'Ik heb nog wel wat tijd,' zei hij. 'Ik loop even met je mee naar binnen.'

Izzy's Café was een piepklein cafeetje met een sapcounter. Er was niemand, maar toch stond het meisje achter de toonbank een grote kan bietensap te maken. Toen ze binnenkwamen, zwaaide ze met een paars gevlekte hand naar hen.

Aan de muren van het café hing helemaal rondom een reeks schilderijen, en het was meteen duidelijk dat dit de *Studies van Sheila* waren. Zoals de titel al deed vermoeden, waren het studies van een meisje dat Sheila heette. De achtergrond van Sheila's wereld was felblauw, en alles wat erin voorkwam was plat, ook Sheila zelf. Sheila had een groot, plat hoofd met een vierkante pluk geel haar erbovenop, die recht omhoog stak. Meestal stond Sheila maar wat te staan (Nr. 4: Sheila staand, Nr. 7: Sheila staand in de slaapkamer, Nr. 18: Sheila staand op straat). Soms had ze iets in haar handen (Nr. 24: Sheila met garde) of keek ergens naar (Nr. 34: Sheila kijkend naar een potlood) terwijl ze stond, en dan werd ze kennelijk moe en ging zitten (Nr. 9: Sheila zittend op een doos).

'Ik ben hier heel slecht in,' zei Richard terwijl hij hulpeloos naar de muren keek. 'Maar jij weet er vast wel iets van.'

Ginny keek wat beter en ontdekte dat er prijskaartjes onder de schilderijen hingen. Tot haar grote verbazing vroeg Romily Mezogarden tweehonderd pond voor een Sheila-schilderij. Dat vond ze nogal prijzig, als je naging hoe lelijk ze waren en dat je het ongemakkelijke gevoel kreeg met een stalker te maken te hebben.

Ginny wist ook niets over kunst. Misschien waren dit wel de allerbeste schilderijen ter wereld. Er waren mensen die dat meteen konden zien. Zij kon dat niet. Toch vond ze dat ze in elk geval de indruk moest wekken dat ze wist waar ze over praatte. Ze was immers het nichtje van tante Peg. Ze kreeg het eigenaardige gevoel dat Richard enige kennis van zaken van haar verwachtte.

'Deze zijn het misschien niet helemaal,' zei ze. 'Ik ga maar eens naar die andere tentoonstelling kijken.'

Hij ging met haar mee naar de volgende tentoonstelling: een installatie van Harry Smalls, sloopartiest, die Ginny in gedachten al snel 'De Halve Man' ging noemen. Hij sneed dingen doormidden. Allerlei dingen. Er was een halve aktetas. Een halve bank. Een halve matras. Een halve tube tandpasta. Een halve oude auto. Ginny dacht er eens goed over na, maar vroeg zich toen af of ze écht vijfhonderd pond wilde geven aan een man die verslaafd was aan kettingzagen.

Ze stonden weer buiten, en Ginny probeerde verwoed iets anders te bedenken.

'Ik denk dat ik maar eens ga kijken naar van die mensen die op straat optreden,' zei ze. 'Enig idee waar ik die kan vinden?'

'Straatartiesten bedoel je? Straatmuzikanten en zo?'

'Precies,' zei Ginny. 'Dat soort mensen.'

'Probeer het eens in Covent Garden,' zei hij na even te hebben nagedacht. 'Midden in Londen. Allerlei artiesten. Er gebeurt van alles, overal staan mensen die spullen verkopen. Het heeft zijn eigen metrostation. Kan niet missen.'

'Mooi,' zei ze. 'Dan ga ik daarnaartoe.'

'Het ligt op mijn route. Kom, dan gaan we.'

In het staartje van de spits vergezelde Ginny Richard in de metro, tot hij haar beduidde dat ze bij haar halte waren.

De naam Covent Garden suggereerde een tuin, maar dat was het dus niet. Het was een groot, geplaveid plein propvol toeristen en kraampjes vol snuisterijen. Aan artiesten was ook geen gebrek. Ze deed haar uiterste best. Meer dan een uur lang bleef ze op de stoeprand zitten kijken. Er waren mannen die met messen jongleerden. Er waren verschillende gitaristen, sommigen met en veel zonder talent, die akoestisch of met behulp van gebutste en gedeukte versterkers speelden. Er was een goochelaar die een eend uit zijn jas toverde.

Het enige wat ze hoefde te doen, was de stapel bankbiljetten uit haar zak trekken en ze in een van die hoeden of gitaarkoffers laten vallen, en klaar was Kees. Ze zag het al voor zich: de verbijsterde messenjongleurs die naar de wapperende briefjes van twintig pond staarden. Het was een aanlokkelijke gedachte, maar iets zei haar dat dit het ook niet was. Ze greep het geld dat in haar zak zat, vouwde het tot een strak rolletje, stond op en liep weg.

De zon deed erg zijn best vandaag, en de Londenaren stelden dat zichtbaar op prijs. Ginny slenterde langs de kraampjes en vroeg zich terloops af of ze misschien een T-shirt voor haar vriendin Miriam moest kopen. Daarna liep ze door een straat vol boekwinkels. Die kwam uit op een gigantisch plein (dat volgens het bord bij het metrostation Leicester Square heette), en inmiddels was het vijf uur en begonnen de straten vol te lopen met mensen die uit hun werk kwamen. Haar kans op succes werd steeds kleiner. Ze stond op het punt zich om te draaien en het geld te verdelen over alle hoeden op Covent Garden, toen ze een grote advertentieposter zag voor iets wat Goldsmiths' College heette en zichzelf de meest vooraanstaande kunstacademie van Londen noemde. Er stond zelfs een routebeschrijving bij. Het leek haar een poging waard.

Ze kwam uit op een brede straat met aan weerszijden een paar vrij moderne academische gebouwen. Natuurlijk, besefte ze, was het zomer en bovendien avond, wat betekende dat er geen lessen en geen studenten waren.

Dat had ze moeten bedenken voordat ze helemaal hiernaartoe was gelopen.

Ze slenterde wat rond en keek naar de flyers die her en der aan mededelingenborden en muren hingen. Demonstraties. Yogalessen. Cd-presentaties. Ze stond op het punt het op te geven en terug te gaan, toen haar oog viel op een wapperend velletje papier. STARBUCKS: DE MUSICAL stond erop, met eronder een prent van een man die in een kop koffie dook. Onder aan de flyer las ze dat de voorstelling was geschreven, geproduceerd, geregisseerd en ontworpen door iemand die Keith Dobson heette.

Ze wist niet precies waarom, maar het klonk veelbelovend. En de voorstellingen gingen in de zomer gewoon door. Kaartjes, zo werd op de flyer beloofd, waren verkrijgbaar bij iets wat 'de stubo' heette. Ze vroeg een meisje dat voorbijkwam wat dat was.

'De stubo?' (Ze sprak het uit als 'stuu-boo'.) 'Dat is de studentenbond. Aan de overkant van de straat.'

Ze moest aan veel mensen de weg vragen voordat ze in het reusachtige stubo-gebouw van Goldsmiths de plek had gevonden waar kaartjes voor de voorstelling werden verkocht. Het leek wel of ze de kassa met opzet onvindbaar hadden gemaakt: Ginny moest twee trappen af, een hoek om en bij de emmer (echt waar) linksaf naar een deur aan het eind van een gang, waar maar een van de twee tl-buizen het deed. Op de deur hing een flyer van de voorstelling, en door het vijfentwintig centimeter hoge raampje, waaruit bleek dat het geen kast was, maar een theaterkassa, was een bleke jongen met rood haar zichtbaar. Hij keek op uit zijn exemplaar van *Oorlog en vrede*.

Ze vermoedde dat ze zou moeten schreeuwen om zich verstaanbaar te maken, dus stak ze gewoon één vinger op om aan te geven dat ze één kaartje wilde. Hij hield acht vingers omhoog. Ze groef in haar zak en haalde er zo'n piepklein briefje van vijf en drie munten van een pond uit, die ze voorzichtig naar binnen stak door de gleuf in het plastic ruitje. Hij haalde een fotokopie van een kaartje uit een sigarenkistje en gaf het aan haar. Toen wees hij naar een dubbele rode deur aan het eind van de gang.

Jittery Grande

Ze bevond zich in een grote, zwarte kelderruimte. Het was er een beetje vochtig. Langs de wanden stonden een paar nep-palmen. De stoelen waren voor het overgrote deel onbezet, maar er zaten wel een paar mensen op de vloer en achterin op de trap. Alles bij elkaar waren er misschien tien toeschouwers. De meesten zaten te roken en met elkaar te kletsen. Zo te zien was zij de enige die verder niemand kende. Het leek wel een besloten kelderfeestje.

Ze overwoog net op te staan en weg te gaan, toen er door een deur vlak bij de ingang een meisje binnenkwam om het licht uit te doen. Uit een paar boxen die verspreid aan de zij-kant van de zaal stonden, klonk keiharde punkmuziek. Even later hield de muziek abrupt op en ging er midden op het po-dium een licht aan.

Daar stond een jongen van ongeveer haar leeftijd, misschien een beetje ouder, gekleed in een groene kilt, een T-shirt van Starbucks, zware zwarte laarzen en een hoge hoed. Onder de hoed stak rossig haar uit dat tot op zijn schouders hing. Hij had een brede, enigszins boosaardige grijns op zijn gezicht.

'Ik ben Jittery Grande,' zei hij. 'Ik ben vanavond uw gast-heer.'

Hij sprong dichter naar het publiek toe, praktisch op Gin-ny's tenen. Dat ontlokte een kort lachje aan een meisje dat vlak-bij op de vloer zat.

'Houden jullie van koffie?' vroeg hij aan het publiek.

Enkele bevestigende antwoorden en één: 'Rot op!'

'Houden jullie van koffie van Starbucks?' vroeg hij.

Nog meer beledigingen. Dat leek hij leuk te vinden.

'Nou,' zei hij, 'laten we dan maar beginnen!'

De voorstelling ging over een medewerker van Starbucks, Joe genaamd, die verliefd werd op een klant. Er werd een liefdesliedje gezongen ('Mijn liefde is sterk als espresso'), een liedje over het eind van de relatie ('Waar werd het koffie verkeerd?') en een soort protestsong ('Dat eindeloze gemaal'). De liefde kwam op tragische wijze ten einde toen zij ophield met koffiedrinken, waarop hij zichzelf van het podium wierp, in iets wat de 'hoofdaanvoer van koffiebonen' moest voorstellen. Dat alles werd op de een of andere manier geregisseerd door Jittery, die al die tijd op het podium bleef staan, praatte tegen het publiek, Joe vertelde wat hij moest doen en borden omhooghield met statistieken over hoe de wereldeconomie het milieu verpestte.

Ginny had in haar leven genoeg voorstellingen gezien om te weten dat dit niet zo'n goede was. Het sloeg eigenlijk nergens op. Er gebeurden heel veel dingen die niets met het verhaal te maken hadden. Zo reed er af en toe een jongen op een fiets dwars door de scène heen, iets waar Ginny geen reden voor kon bedenken. En op een gegeven moment werd er op de achtergrond geschoten, maar de jongen die net was neergeschoten, zong gewoon door. Kennelijk was hij dus niet zo zwaargewond.

Ondanks dat alles liet Ginny zich al snel helemaal meeslepen. Ze wist ook best waarom. Ze had iets met performers. Dat was altijd al zo geweest. Waarschijnlijk had het iets te maken met alle performances waar tante Peg haar als kind mee naartoe had genomen. Ze stond er nog steeds versteld van dat er mensen waren die niet bang waren om voor een groot publiek te gaan staan en gewoon... te praten. Of te zingen, te dansen of moppen te vertellen. Die zichzelf zonder enige schaamte te kijk durfden te zetten.

Jittery was geen erg goede zanger, maar dat weerhield hem er niet van om er lekker op los te brullen. Hij danste over het podium. Hij sloop tussen het publiek door. Hij had de hele zaal in zijn ban.

Toen het afgelopen was, las ze het programma dat iemand

op de stoel naast haar had laten liggen. Keith Dobson – regisseur, schrijver en producent – bleek bovendien de rol van Jittery Grande te vertolken.

Keith Dobson was haar artiest. En ze had 492 kleine, linnen zakjes die ze hem wilde geven.

Toen ze de volgende ochtend door de lange gang met het linoleum naar de theaterkassakast liep, besefte Ginny dat haar schoenen piepten. En niet zo'n klein beetje ook.

Ze bleef staan en keek naar haar sportschoenen. Daar waren ze dan: wit met roze strepen, en ze staken uit onder de dikke, saaie, olijfgroene pijpen van haar korte cargobroek. Ze kon zich woordelijk elke zin herinneren uit de reisgids die haar ertoe had aangezet juist deze schoenen te kiezen: 'Je zult in Europa veel moeten lopen, dus neem comfortabele wandelschoenen mee! Sportschoenen leiden nergens tot scheve blikken, en witte schoenen houden in de zomer je voeten koel.'

Wat haatte ze die zinnen nu. Ze haatte ze, en ook de persoon die ze had geschreven. Met deze schoenen viel ze ontzettend op, en niet alleen omdat ze zo veel kabaal maakten. Witte sportschoenen waren de officiële toeristenschoenen. Dit was Londen, en echte Londenaren droegen elegante schoentjes met smalle hakjes, hippe sportschoenen in vreemde kleurencombinaties of koffiekleurige leren laarzen...

En dan die korte broeken. Ze had in Londen nog niemand in een korte broek gezien.

Daarom had tante Peg natuurlijk gezegd dat ze geen reisgidsen mocht gebruiken. Ze had er toch een ingekeken, met als gevolg dat ze nu een piepende freak met witte schoenen was.

Maar goed, (piep, piep), hoe moest ze dit aanpakken? Ze kon moeilijk het geld (piep, piep) in de handen van de kaartverkoper drukken en ervandoor gaan. Nou ja, dat kon natuurlijk wel, maar dan zou ze nooit zeker weten dat het bij de juiste persoon was terechtgekomen. Ze kon ook het geld in een envelop stoppen en die adresseren aan Jittery (of Keith), maar dat vond ze eigenlijk ook niets.

Ze zou gewoon snel en anoniem alle kaartjes kopen. Dat was de beste manier. De kaartjes kostten acht pond per stuk. Ginny maakte in gedachten snel een rekensommetje en liep toen met grote passen naar het loket.

'Ik wil graag tweeënzestig kaartjes,' zei ze.

De jongen keek op van zijn exemplaar van *Oorlog en vrede*. Hij was in die ene dag een heel eind gekomen, zag Ginny. Hij had overigens nog wel hetzelfde T-shirt van The Simpsons aan.

'Watte?'

Hij had een stem alsof zijn neus dichtzat, waardoor de vraag extra vragend klonk.

'Mag ik er tweeënzestig?' vroeg ze. Onwillekeurig was ze zachter gaan praten.

'We hebben maar vijfentwintig plaatsen,' zei hij. 'En zelfs dan moeten er mensen op de grond zitten.'

'O. Sorry. Dan neem ik er gewoon... Hoeveel kan ik er krijgen?'

Hij tilde het deksel van het sigarenkistje op en telde de twee reçuutjes die erin zaten. Toen klapte hij het deksel vastberaden dicht.

'Drieëntwintig.'

'Oké,' zei Ginny terwijl ze onhandig het juiste aantal biljetten uittelde. 'Dan wil ik er drieëntwintig.'

'Wat moet je met drieëntwintig kaartjes?' vroeg de jongen, terwijl hij een elastiekje van een stapeltje kaartjes trok en er drieëntwintig uittelde.

'Gewoon.'

Het gedrup dat ergens in de gang hoorbaar was, klonk opeens heel luid.

'Nou ja, je zult mij niet horen klagen,' zei hij na een tijdje. 'Ben je student?'

'Niet hier.'

'Ergens anders dan?'

'Ik zit op de middelbare school. In New Jersey.'

'Dan heb je recht op studentenkorting. Je betaalt maar vijf

pond per kaartje.' Hij pakte een rekenmachine en toetste een paar cijfers in. 'Dat is dan honderdvijftien pond.'

Door die korting zat Ginny met een probleem. Nu had ze meer kaartjes nodig. Veel meer.

'Hoeveel kan ik er voor morgen kopen?' vroeg ze.

'Wat zeg je?'

'Hoeveel kan ik er voor morgen krijgen?'

'We hebben er nog geen verkocht.'

'Dan neem ik ze allemaal.'

Hij keek haar wantrouwig aan toen ze honderdvijfentwintig pond door de sleuf in het plastic stak. Hij schoof haar de vijfentwintig kaartjes toe.

'En de avond daarna?'

Hij stond op en keek haar aan met zijn gezicht tegen het raam gedrukt. Hij had een heel bleke huid. Tja, dat kon gebeuren als je de hele zomer naast een emmer in een kelderkast zat.

'Wie komen er dan in vredesnaam allemaal?'

'Alleen... ik.'

'Is het dan een grap of zo?'

'Nee.'

Hij deed een stap achteruit en ging weer op zijn kruk zitten.

'Op donderdag is er geen voorstelling,' zei hij. Hij klonk nu nog erger verkouden. 'Dan gebruikt de vechtsportclub de zaal voor examens.'

'En vrijdag?'

'Dat is de laatste voorstelling,' zei hij. 'Daar hebben we drie kaartjes voor verkocht. De overige tweeëntwintig mag je hebben.'

Er ging nog honderdtien pond door de gleuf.

Ginny bedankte de jongen, stapte over de emmer heen en telde haar kaartjes en het overgebleven geld. Zeventig kaartjes. En nog honderdtweeënveertig pond om 'wel' mee te 'doen'.

Achter zich hoorde ze een geluid. De bevrijde kaartjesverkoper stapte uit zijn kast, knikte naar haar en liep met het sigarenkistje vol geld door de gang, de trap op het daglicht in.

Ze zag dat er een haastig geschreven briefje voor het raam was gehangen.

Daarop stond: UITVERKOCHT. PERMANENT.

Heldere ideeën

Pas toen ze met alle kaartjes voor Keiths voorstelling op straat stond, besefte Ginny dat er een hiaat in haar plan zat. Goed, dus ze had hem geld gegeven – in zekere zin – maar niemand zou hem nu nog zien optreden. Ze had hém gekocht, met alles erop en eraan.

Ze raakte zo in paniek dat ze vergat waar het metrostation was en drie keer om hetzelfde blok heen liep. Toen ze het station eindelijk had gevonden, kon ze maar één plaats bedenken waar ze naartoe kon.

Terug naar Harrods. Terug naar Richard. Terug naar de chocoladetoonbank op de etenswarenafdeling, want daar hadden ze tenminste een telefoon en een lijst met namen. Richard kwam plichtsgetrouw naar beneden en nam haar mee naar de Krispy Kreme. (Jazeker, Harrods had een Krispy Kreme, een donutwinkel naar Amerikaans voorbeeld. In dit warenhuis kon je werkelijk alles krijgen.)

'Als jij zeventig kaartjes te vergeven had voor een voorstelling die Starbucks: The Musical heette,' begon Ginny terwijl ze haar donut in tweeën brak, 'waar zou jij dan naartoe gaan?'

Richard hield op met in zijn koffie roeren en keek op.

'Ik kan niet zeggen dat ik me ooit in die situatie heb bevonden,' zei hij.

'Maar stel dat,' zei ze.

'Ik denk dat ik ergens naartoe zou gaan waar mensen in de rij stonden te wachten om kaartjes voor een voorstelling te kopen,' zei hij. 'Heb je echt zeventig kaartjes gekocht voor iets wat Starbucks: The Musical heet?'

Ginny besloot dat ze maar beter geen antwoord kon geven op die vraag.

'En waar gaan mensen naartoe om kaartjes te kopen?' vroeg ze.

'Het West End. Daar was je gisteren niet ver vandaan. Covent Garden, Leicester Square – dan zit je in de goede richting. Daar staan alle theaters, net als op Broadway. Ik weet alleen niet of je veel succes zult hebben. Maar goed, als ze gratis zijn...'

Het West End was niet zo felverlicht of opdringerig als Broadway. Er stonden geen knipperende, roterende reclameborden met gouden randjes, en geen reusachtige, verlichte kommen mie of wolkenkrabbers. De opzet was veel bescheidener, met slechts een paar posters en borden die het territorium afbakenden. De theaters waren streng en serieus uitziende gebouwen.

Ze wist meteen dat het een hopeloze zaak was.

Om te beginnen was ze Amerikaans en zag ze eruit als een toerist. Ten tweede regende het zo nu en dan. Bovendien had ze geen officiële kaartjes uit een computerkassa, maar scheef uitgeknipte fotokopieën. Hoe moest ze mensen duidelijk maken wat voor voorstelling het was, waar hij werd opgevoerd en waar het verhaal over ging? En wie interesseerde zich nou voor *Starbucks: The Musical* als hij in de rij stond voor kaartjes voor *Les Misérables*, *Phantom of the Opera* of *Chitty Chitty Bang Bang*, of een andere normale voorstelling in een normaal theater waar ze ook nog sweaters, mokken en andere souvenirs verkochten?

Om drie uur had ze nog maar zes kaartjes weggegeven, aan een stel Japanse meisjes, die ze beleefd hadden aangenomen zonder te beseffen waar ze voor waren. En de enige reden dat ze hen had aangesproken, was dat ze vrij zeker wist dat ze geen woord verstonden van wat ze zei.

Ze vatte post bij een enorm bakstenen theater vlak bij Leicester Square, pal naast een kiosk vol informatie over theatervoorstellingen. Vervolgens bleef ze een uur lang met de kaartjes stevig in haar handen geklemd op haar onderlip staan bijten. Als er mensen bleven staan om de posters te bekijken, deed ze soms aarzelend een pas naar voren, maar ze kon zich er niet toe zetten om hen daadwerkelijk aan te spreken en over te halen naar de voorstelling te gaan.

Ze sjokte door het centrum terug naar Goldsmiths. Dan kon ze tenminste naar het juiste gebouw wijzen en zeggen: 'Daar wordt de musical opgevoerd.' Een uur lang bleef ze zonder resultaat voor de stubo staan. Toen draaide ze zich om en stond oog in oog met een jongen van ongeveer haar leeftijd. Hij was zwart, had korte dreadlocks en een vlotte, montuurloze bril.

'Heb je zin om vanavond naar deze voorstelling te gaan?' vroeg ze, wijzend op de flyer met de man die een bommetje deed in een koffiekop. 'Het is echt een heel goede musical. Ik heb gratis kaartjes.'

Hij keek eerst naar de flyer en toen naar haar.

'Gratis kaartjes?'

'Het is een speciale aanbieding,' zei ze.

'O ja?'

'Ja.'

'Wat voor aanbieding?'

'Een... speciale. Het is gratis.'

'Waarom?'

'Gewoon, om mensen naar de voorstelling te laten komen.'

'Aha,' zei hij langzaam. 'Ik kan niet. Ik heb vanavond al iets. Maar ik zal het in gedachten houden, goed?'

Hij keek haar even indringend aan voor hij naar binnen ging. Dat was haar grootste succes.

Ze liet zich bij de bushalte op het bankje zakken en haalde haar schrijfblok tevoorschijn.

25 juni, 19:15 uur

Lieve Miriam,

Ik ben er altijd best trots op geweest dat ik me nooit door een jongen het hoofd op hol heb laten brengen. Ik ben nooit zo iemand geweest die op de wc's gaat staan flippen of andere stomme dingen doet, zoals:

1. een zogenaamde zelfmoordpoging doen door een heel potje vitamine C te slikken (Grace Partey, tweede klas);
2. zakken voor scheikunde omdat je hebt gespijbeld om achter de afvalcontainer bij de kantine met een jongen te kunnen zoenen (Joan Fassel, derde klas);
3. beweren dat je plotseling enorm veel interesse hebt in de Latijns-Amerikaanse cultuur en overstappen van Frans II naar Spaans I, zodat je in dezelfde klas komt als een leuke brugklasser, om vervolgens bij een andere groep te worden ingedeeld (Allison Smart, tweede klas);
4. weigeren het uit te maken met je vriendje (Alex Webber), zelfs als die wordt gearresteerd wegens het in brand steken van drie schuren in zijn buurt en ter observatie in een psychiatrisch ziekenhuis wordt opgenomen (Catie Bender, vicevoorzitter van de leerlingenraad, beste van haar leerjaar, vierde klas).

Hormonen zijn duidelijk niet goed voor ons IQ.

Het heeft me allemaal nooit zo veel kunnen schelen. De jongens op wie ik viel, waren allemaal volkomen onbereikbaar, dus als ik moest kiezen tussen enorm veel moeite doen voor een jongen die niet echt in me geïnteresseerd was of een onafhankelijk mens blijven (rondhangen met mijn vriendinnen, plannen maken om uit New Jersey weg te vluchten, mezelf verwonden aan huishoudelijke apparaten), besloot ik dat ik dan liever een onafhankelijk wezen wilde zijn.

Ik weet dat je vindt dat het hoog tijd wordt voor een 'gigantische romantische doorbraak' in mijn leven, het liefst nog voor ik de middelbare school verlaat. En jij weet dat ik vind dat je 'ingrijpende hormoontherapie' nodig hebt omdat je uitblinkt in obsessief gedrag. Afgelopen jaar was je bijvoorbeeld de hele zomer geobsedeerd door Paul. Ik bedoel, ik ben dol op je, hoor, maar het is wel zo.

Maar om je op te vrolijken wil ik je wel iets vertellen.

Ik ben best wel geïnteresseerd in iemand die mij nooit, maar dan ook nooit leuk zal vinden. Hij heet Keith. Hij kent me niet eens.

En voordat je gaat beginnen van: 'Natuurlijk vindt hij je wel leuk! Je bent geweldig!' – even de handrem erop. Ik weet wel zeker dat het niet gaat gebeuren. Waarom? Omdat hij:

1. een aantrekkelijke Britse jongen is
2. acteur is
3. die bovendien op de universiteit zit
4. in Londen, waar hij een toneelstuk heeft geschreven
5. waarvoor ik net álle kaartjes heb gekocht vanwege die brieven van m'n tante, en ik heb er nog maar zes weggegeven.

Maar laten we voor de gein eens mijn liefdesgeschiedenis onder de loep nemen, goed?

1. Den Waters. Met hem heb ik wel drie keer gezoend, en alle drie de keren deed hij iets engs met die hagedissentong van hem en bedankte hij me naderhand.
2. Mike Riskus. Meer dan twee jaar ben ik door hem geobsedeerd geweest, en dat terwijl ik tot vlak voor Kerstmis vorig jaar geen woord met hem had gewisseld. Op een dag zat hij met wiskunde achter me en vroeg: 'Welke opgave moeten we maken?' En ik antwoordde: 'Die op bladzijde 85.' En hij zei: 'Bedankt.' Daar heb ik máánden op geteerd.

Dus je ziet dat mijn kansen geweldig zijn, gezien mijn grote aantrekkingskracht en ruime ervaring.

Bijgesloten tref je een programma van Keiths musical aan.

Ik mis je zo verschrikkelijk dat ik er pijn in mijn twaalfvingerige darm van krijg. Maar dat wist je al.

Liefs,
Ginny

De hooligan en de ananas

Er kwamen maar drie mensen opdagen. Aangezien twee mensen vóór Ginny al een kaartje hadden gekocht en ze er zelf een had gebruikt, betekende dat, dat niemand aan wie ze kaartjes had weggegeven, was komen opdagen. Haar Japanse meisjes hadden haar in de steek gelaten.

Het resultaat was dat er bij de voorstelling van *Starbucks: The Musical* meer mensen op het podium stonden dan er in het publiek zaten, en Jittery leek zich daar erg van bewust. Dat was misschien de reden dat hij besloot de pauze over te slaan en gewoon door te gaan, zodat zijn publiek geen kans kreeg om te ontsnappen. Aan de andere kant leek het Keith niet te deren dat er bijna niemand was. Hij maakte van de gelegenheid gebruik om tussen de stoelen te duiken en zelfs in een van de neppalmen te klimmen die aan de zijkant van de zaal stonden.

Aan het eind van de voorstelling, toen Ginny overeind schoot om te ontsnappen, sprong Jittery opeens van het podium, net op het moment dat ze bukte om haar tas te pakken. Hij liet zich in de lege stoel naast haar vallen.

'Speciale aanbieding, hè?' zei hij. 'Waar sloeg dat op?'

Ginny had weleens verhalen gehoord over mensen die hun tong hadden ingeslikt, of hun mond openden om vervolgens tot de ontdekking te komen dat ze geen kik konden geven. Dat het letterlijk bedoeld was, had ze nooit kunnen vermoeden. Ze dacht altijd dat dergelijke mensen gewoon niet wisten wat ze moesten zeggen.

Nou, dat had ze dus mooi mis. Je kon inderdaad je spraakvermogen kwijtraken. Ze kon het helemaal boven in haar keel voelen: een kort rukje, alsof er een buideltje werd dichtgetrokken.

'Vertel eens,' zei hij, 'waarom heb je voor driehonderd pond kaartjes gekocht en ze vervolgens op straat geprobeerd weg te geven?'

Ze opende haar mond. Weer niets. Hij sloeg zijn armen over elkaar en wekte de indruk dat hij bereid was tot het einde der tijden te wachten op een verklaring.

Zeg dan iets! schreeuwde ze tegen zichzelf. Zeg iets, verdomme!

Hij schudde zijn hoofd en haalde zijn hand door zijn haar tot het in lange, statische pieken overeind bleef staan.

'Ik ben Keith,' zei hij. 'En jij bent... duidelijk gestoord, maar hoe heet je?'

Oké. Haar naam. Dat moest lukken.

'Ginny,' zei ze. 'Virginia.'

Meer dan één naam was eigenlijk niet noodzakelijk. Waarom had ze er dan twee genoemd?

'Je bent Amerikaans, hè?' vroeg hij.

Ze knikte.

'Ben je naar een staat genoemd?'

Ze knikte opnieuw, hoewel het niet zo was. Ze was naar haar grootmoeder genoemd. Maar nu ze erover nadacht, was het in zekere zin waar. Ze was inderdaad naar een staat genoemd. Ze had een belachelijke Amerikaanse naam.

'Nou, Gestoorde Ginny Virginia uit Amerika, ik moest je maar eens op een drankje trakteren, aangezien ik dankzij jou de allereerste in de geschiedenis ben die hier voor een uitverkochte zaal heeft opgetreden.'

'O ja?'

Keith stond op en liep naar een van de neppalmen toe. Hij haalde er een rafelige canvas tas achter vandaan.

'Nou, heb je zin om mee te gaan?' vroeg hij terwijl hij het shirt van Starbucks verruilde voor een groezelig wit T-shirt.

'Waar naartoe?'

'Naar de pub.'

'Ik ben nog nooit in een pub geweest.'

'Nooit in een pub geweest? Nou, dan moet je echt mee. Je

bent nu in Engeland. En dat doen we hier: we gaan naar de pub.'

Hij stak zijn hand weer achter de palm en pakte een oude spijkerjas. De kilt hield hij aan.

'Toe maar,' zei hij met een gebaar alsof hij een schichtig diertje onder de bank vandaan probeerde te lokken. 'Ga maar mee. Je hebt toch wel zin?'

Ginny stond werktuiglijk op en liep als verdoofd achter Keith aan de zaal uit.

Het was donker en mistig. De gloeiende gele bollen van de verkeerslichten bij de zebrapaden en de koplampen van de auto's beschreven vreemde patronen in de nevel. Keith zette er stevig de pas in, met zijn handen diep in zijn zakken. Af en toe keek hij achterom om te controleren of Ginny er nog was. Ze bleef een pas of twee achter hem.

'Je hoeft niet achter me aan te lopen,' zei hij. 'Dit is een erg vooruitstrevend land. Meisjes mogen gewoon naast mannen lopen, ze mogen naar school, de hele mikmak.'

Voorzichtig ging Ginny naast hem lopen. Ze moest moeite doen om zijn lange passen bij te houden. Er waren verschrikkelijk veel pubs. Ze zaten overal. Pubs met prachtige Engelse namen, zoals The Court in Session en The Old Ship. Mooie, in vrolijke kleuren geschilderde pubs met zorgvuldig vervaardigde houten borden. Keith liep ze allemaal voorbij en ging naar binnen bij een sjofeler uitziend tentje, waar mensen met grote glazen bier op de stoep stonden.

'Daar zijn we dan,' zei hij. 'The Friend in Need. Hier krijgen studenten korting.'

'Wacht even,' zei ze. Ze greep zijn arm vast. 'Ik zit nog maar op de middelbare school.'

'Hoe bedoel je?'

'Ik ben pas zeventien,' fluisterde ze. 'Volgens mij mag ik nog helemaal niet naar een café.'

'In Amerika niet, nee. Hier lukt het wel. Gewoon doen alsof je er thuishoort en niets zeggen.'

'Zeker weten?'

'Ik ben op mijn dertiende al voor het eerst naar de pub gegaan,' zei hij. 'Dus ja, zeker weten.'

'Maar nu mág je het ook?'

'Ik ben negentien.'

'En dan mag je hier naar het café, toch?'

'Dan mág het niet alleen,' zei hij, 'dan is het zelfs verplicht. Kom mee.'

Ginny kon vanaf de plek waar ze stonden de bar niet eens zien. Er stond een ware muur van mensen voor en er hing een waas van rook, waardoor het zelfs binnen mistig leek.

'Wat kan ik voor je bestellen?' vroeg Keith. 'Ik ga het wel halen. Zoek jij maar een plekje waar we kunnen staan.'

Ze bestelde het enige wat ze kende – iets wat op een reusachtige spiegel aan de muur geschreven was.

'Guinness?'

'Oké.'

Keith stortte zich in de mensenmassa en werd opgeslokt. Ginny perste zich achter een groep jongens met felgekleurde voetbalshirts, die bij een soort richel in de muur stonden. Ze stompten elkaar telkens. Ginny ging zo dicht mogelijk bij de muur staan, maar toch was ze ervan overtuigd dat ze haar een keer zouden raken. Er was verder echter geen staanplaats. Ze drukte zich met haar rug tegen de richel en bestudeerde de kleverige kringen op het houten schap en de as in de asbak. Er werd een oud nummer van de Spice Girls opgezet, en de slaande jongens begonnen al slaand te dansen, zodat ze nog dichter bij Ginny kwamen.

Keith wist haar daar een paar minuten later te vinden. Hij had een halveliterglas bij zich dat tot de rand was gevuld met een heel donkere vloeistof, waarin piepkleine koperkleurige belletjes opborrelden. Bovenop lag een dun laagje troebel schuim. Hij gaf haar het glas. Het was zwaar. Even moest ze weer denken aan de dikke, lauwe Ribena. Ze huiverde. Voor zichzelf had Keith een glas cola gehaald. Hij keek vluchtig achterom en ging pontificaal tussen Ginny en de dansende jongens in staan.

'Ik drink niet,' legde hij uit toen hij haar naar de frisdrank zag staren. 'Ik heb op mijn zestiende mijn quotum al volgemaakt. De regering heeft me er een speciale pas voor uitgereikt.' Hij keek haar weer recht aan met die standvastige blik van hem. Zijn ogen waren heel groen en indringend, met in het midden een soort gouden stralenkrans die haar in verwarring bracht.

'En, ga je me nog vertellen waarom je zoiets vreemds hebt gedaan?' vroeg hij.

'Gewoon... omdat ik er zin in had.'

'Dus je had gewoon zin om de rest van de week de hele zaal op te kopen? Omdat je geen kaartjes kon krijgen voor The London Eye of zo?'

'Wat is The London Eye?'

'Dat belachelijk grote reuzenrad tegenover het parlementsgebouw, waar alle normale mensen naartoe gaan,' zei hij. Hij leunde achterover en bekeek haar nieuwsgierig. 'Hoelang ben je hier al?'

'Drie dagen.'

'Heb je het parlementsgebouw al gezien? Of de Tower?'

'Nee...'

'Maar je wist wel mijn voorstelling in de kelder van Goldsmiths te vinden.'

Ze nam een slokje van haar Guinness om tijd te winnen, en moest vervolgens de neiging bedwingen om niet ineen te krimpen of te spugen. Ginny had nog nooit boombast geproefd, maar ze stelde zich voor dat het zó zou smaken als je het in een blender stopte.

'Ik heb een kleine erfenis gekregen,' zei ze uiteindelijk. 'En ik wilde een deel ervan uitgeven aan iets wat ik echt de moeite waard vond.'

Dat was niet helemaal gelogen.

'Dus je bent rijk?' vroeg hij. 'Fijn om te weten. Ik, tja, ik ben niet rijk. Ik ben een hooligan.'

Voordat hij musicals was gaan schrijven over koffie, had Keith een heel interessant leven geleid. Sterker nog, tussen zijn dertiende en zeventiende was hij de nachtmerrie van elke ouder geweest, zo ontdekte Ginny al snel. Hij was zijn carrière begonnen met over het hek naar de binnenplaats achter de plaatselijke pub te klimmen en te smeken om een drankje, of moppen te tappen om er een te verdienen. Toen ontdekte hij dat hij zichzelf 's nachts in het plaatselijke café kon laten opsluiten (door zich in een kast te verstoppen die nauwelijks werd gebruikt), zodat hij alcohol voor hemzelf en al zijn vrienden kon jatten. Na een aantal van die diefstallen waren de eigenaren het zo zat, dat ze het opgaven en hem zwart in dienst namen.

Toen volgden er enkele jaren waarin hij zonder aanleiding dingen had stukgemaakt en af en toe een brandje had gesticht. Hij dacht met weemoed terug aan de keer dat hij met een vlijmscherp scheermesje het woord EIKEL op de zijkant van de auto van het schoolhoofd had gekrast, zodat de boodschap pas na een paar weken zichtbaar werd, toen het een paar keer had geregend en het metaal was gaan roesten. Hij besloot zich in diefstal te bekwamen. In eerste instantie stal hij kleine dingetjes: snoepreprepen, kranten. Toen stapte hij over op kleine huishoudelijke en elektronische apparaten. Zijn dievencarrière kwam ten einde toen hij in een afhaalrestaurant inbrak en werd gearresteerd wegens diefstal van kipkebab.

Daarna besloot hij het over een andere boeg te gooien. Hij maakte een korte documentaire met als titel *Mijn verleden als crimineel*. Die stuurde hij naar Goldsmiths, en ze vonden hem zo goed dat ze hem niet alleen als student inschreven, maar hem bovendien een beurs gaven wegens 'bijzondere artistieke verdiensten'. En nu maakte hij dus toneelstukken over koffie.

Hij hield even op met praten toen hij besefte dat ze helemaal niet van haar Guinness dronk.

'Geef maar,' zei hij. Hij pakte het glas en dronk alles wat er nog in zat in één lange teug op.

'Ik dacht dat je zei dat je niet dronk.'

'Dat telt toch niet als drinken,' zei hij laatdunkend. 'Ik had het over drínken.'

'O.'

'Hé,' zei hij terwijl hij dichterbij kwam staan, 'aangezien je in feite voor de hele show hebt betaald – bedankt daarvoor, trouwens – kan ik je dit net zo goed vertellen. Ik ga ermee naar het Fringe Festival in Edinburgh. Weet je wat dat is?'

'Niet echt,' zei Ginny.

'Het is in feite het grootste alternatieve theaterfestival ter wereld,' zei hij. 'Heel veel beroemde artiesten en shows zijn daar begonnen. Het heeft me eeuwen gekost om de school zover te krijgen dat ze ons het geld wilden geven om daar te kunnen optreden, maar het is gelukt.'

Ze knikte.

'Maar goed,' zei hij. 'Ik neem aan dat je nog wel een keer naar de voorstelling komt?'

Ze knikte weer.

'Ik moet morgen na afloop alles inpakken en tijdelijk ergens anders onderbrengen,' zei hij. 'Misschien heb je zin om te helpen.'

'Ik weet niet zo goed wat ik met de rest van de kaartjes moet...'

Keith glimlachte zelfverzekerd.

'Nu jij ervoor hebt betaald, raken we ze wel kwijt. Er zijn niet zo veel mensen meer, omdat het juni is, maar het bureau voor uitwisselingsstudenten neemt alles aan zolang het gratis is. En de buitenlandse studenten zwerven hier meestal nog wel rond.'

Hij keek omlaag naar haar handen. Daarmee omklemde ze stevig haar lege glas.

'Kom mee,' zei hij. 'Dan breng ik je naar de metro.'

Ze verlieten het rokerige café en stapten de mist weer in. Keith nam een route die ze in haar eentje nooit had kunnen vinden, en die hen naar de lichtgevende rode cirkel bracht met daaroverheen de blauwe balk waar UNDERGROUND – het Engelse woord voor metro – op stond.

'Dus je bent morgen van de partij?' vroeg hij.

'Ja,' zei ze. 'Morgen.'

Ze voerde haar kaartje aan de kaartjesvreter en liep door de klakkende poort naar beneden, steeds dieper het wit betegelde metrostation in. Toen ze bij het perron kwam, zag ze dat er een ananas op de rails lag. Een hele ananas waar niets mis mee was. Ginny ging helemaal op het randje van het perron staan en keek omlaag.

Het was haar een raadsel hoe een ananas daar terecht kon komen.

Ze voelde de windvlaag die aangaf dat er een trein aankwam. Elk moment kon hij uit de tunnel komen scheuren en over die plek heen rijden.

'Als de ananas het overleeft,' zei ze bij zichzelf, 'dan vindt hij me leuk.'

De witte neus van de trein kwam in zicht. Ze liep achteruit bij de rand weg en stapte niet in de trein, maar wachtte tot die wegreed.

Ze keek naar beneden. De ananas was niet heel of kapot. Hij was spoorloos verdwenen.

De niet zo mysterieuze weldoener

Ontdekking: het was mogelijk om een neppalm uit elkaar te halen en in een auto te stoppen. Sterker nog, het was mogelijk om een heel decor uit elkaar te halen en in een auto te stoppen. In een klein autootje. Een klein, wit, ontzettend vuil Volkswagentje. Zo 'ontmantelden' ze *Starbucks: The Musical.*

'Je vraagt je misschien af: "Waarom neemt Keith die dingen mee?"' zei Keith terwijl hij de bladeren in de kofferbak propte. 'Hij gebruikt ze niet eens in de voorstelling.'

'Een beetje wel,' zei Ginny. (Iets meer dan een beetje zelfs, toen ze er een door de keldergang had gesleurd. Wat waren die krengen zwaar.)

'Nou, in het begin heb ik ze wel gebruikt,' zei Keith, die naar de onderkant van de auto keek om te zien hoe laag hij boven de grond hing nu hij zo zwaar was beladen. 'Ik heb ze uit de voorstelling geschreven. Maar aangezien de school ervoor heeft betaald, wil ik niet dat ze worden gejat. Ik bedoel, neppalmen. Zeg nou zelf. Die zijn stukken beter dan oranje verkeerspylonen. Een buitenkansje.'

Hij keek naar de stapel kostuums die nog op de stoep lag.

'Stap in, dan leg ik deze spullen om je heen,' zei hij.

Ginny stapte in (aan de verkeerde kant van de auto) en werd aan alle kanten ingepakt. Van de buitenkant zag de auto er niet best uit, maar onder de motorkap was alles kennelijk dik in orde. Zodra Keith het gaspedaal indrukte, sprong de Volkswagen naar voren en scheurde naar de hoek van de straat. De banden piepten een beetje toen hij de hoek om zeilde en zich in het verkeer op de hoofdweg stortte, waarbij hij bijna overhoop werd gereden door een dubbeldekker.

Ze kon zien dat Keith dol was op autorijden. Hij schakelde

geconcentreerd en zo vaak als menselijkerwijs mogelijk was, en reed zigzaggend tussen het langzaam rijdende verkeer door. Opeens dook er pal naast hen een zwarte taxi op en zat Ginny oog in oog met een nogal verrast kijkend echtpaar, dat angstig naar haar wees.

'Staan we niet een beetje te dichtbij?' vroeg ze toen Keith de auto nog dichter naar de taxi toe reed in een poging van rijbaan te veranderen.

'Hij gaat wel opzij,' zei Keith luchtig.

Ze reden over het deel van Essex Road dat Ginny kende.

'Ik logeer hier in de buurt,' zei ze.

'In Islington? Bij wie dan?'

'Bij een vriend van mijn tante.'

'Dat verbaast me,' zei hij. 'Ik ging ervan uit dat je ergens in een chic hotel logeerde, aangezien je een rijke erfgename bent.'

Keith reed door een eindeloze reeks smalle, donkere straatjes vol huizen en anonieme flatgebouwen, langs felverlichte snackbars. Elk beschikbaar oppervlak was bedekt met posters en advertenties voor reggae-albums en Indiase muziek. Ginny betrapte zichzelf erop dat ze werktuiglijk de route in haar geheugen prentte door het patroon van borden, posters, pubs en huizen te onthouden. Niet dat ze hier ooit weer zou komen, natuurlijk. Het was een rare gewoonte van haar.

Uiteindelijk stopten ze in een onverlichte straat met een lange rij huizen van grijze steen. Hij maakte een ruime bocht en zette de auto nogal scheef langs de stoeprand. Op de stoep lagen heel veel snoepwikkels en in de voortuinen lege flessen. Enkele huizen werden duidelijk niet bewoond, want er waren planken voor de ramen getimmerd en er hingen verordeningen op de deur.

Keith liep om de auto heen en maakte het portier aan haar kant open om alle spullen om haar heen uit te laden. Daarna opende hij de poort in het hek van een van de huizen en liep naar een felrode deur met een ruit van geel plastic. Stukje bij beetje haalden ze de slordig ingepakte dozen en tassen uit de auto. Eenmaal binnen liepen ze langs een keuken rechtstreeks naar een trap, waarover Keith zonder het licht aan te doen naar boven liep.

Boven aan de trap stonk het naar oude sigarettenrook. Op de overloop stond van alles: een overvolle boekenkast met een schedel erbovenop, bijvoorbeeld, en een hoedenrek met allemaal schoenen eraan. Voor een deur lag een stapel kleren, die hij eerst weg moest schoppen voor hij kon opendoen.

'Mijn kamer,' zei Keith met een grijns.

De kamer was grotendeels rood. De vloerbedekking was steenrood. De doorgezakte bank was rood. De vele zitzakken op de vloer waren rood-zwart. Flyers voor ontelbaar veel studententoneelstukken en posters voor Japanse tekenfilms en stripboeken bedekten de muren. De meubels waren gemaakt van plastic kratten, en hier en daar lag er een plank overheen die als schap of tafel moest dienen. Overal lagen stapels boeken en dvd's.

'Ze is het inderdaad,' hoorde ze iemand zeggen.

Ze draaide zich om en zag de jongen met de dreadlocks en de montuurloze bril aan wie ze bij de stubo een kaartje had geprobeerd te slijten. Hij glimlachte veelbetekenend. Achter hem stond een broodmager blond meisje, dat niet erg blij keek. Haar armen staken als witte potloden uit de modieus gescheurde mouwen van haar zwarte T-shirt. Haar ogen waren rond en donker, en ze had een pruillip. Haar lichtblonde haar was zo vaak gebleekt dat het zichtbaar breekbaar was. Het leek wel stro. Toch paste die beschadiging vreemd genoeg wel bij de manier waarop ze het haar boven op haar hoofd had opgestoken.

Onwillekeurig bekeek Ginny haar eigen halflange, groene kakibroek, witte sportschoenen, shirtje en korte vestje. Ze schaamde zich meer dan ooit voor die toeristenkleren.

'Dit is Ginny,' zei Keith. 'Ik geloof dat je David al eens hebt ontmoet. David is mijn huisgenoot. En dat is Fiona.'

'O,' zei Fiona. 'Werk je soms mee aan de musical?'

Dat klonk als een redelijke vraag, maar Ginny voelde aan dat er een belediging achter schuilging. Ze was er vreemd genoeg van overtuigd dat Fiona in lachen zou uitbarsten, wat ze er ook op antwoordde. Meteen kreeg ze een knoop in haar maag, terwijl ze zocht naar een pittig antwoord. Na ongeveer twintig seconden diep nadenken, kwam ze uiteindelijk met een messcherp: 'Weet ik niet.'

Fiona vertrok haar lippen in een flauw glimlachje. Ze bekeek Ginny van top tot teen. Haar blik draalde even bij de cargobroek, en daarna bij de lange, dunne snee op Ginny's been. (Ongelukje bij het inpakken. 's Avonds laat. Kleine misrekening op een keukentrapje toen ze een paar dingen boven uit de kast wilde halen.)

'We gaan,' zei David. 'Tot kijk.'

'Ze hebben ruzie gehad,' zei Keith toen ze weg waren. 'Wat een verrassing.'

'Hoe weet je dat?'

'Gewoon,' zei hij terwijl hij een doos met Starbucks-bekers op de vloer leeggooide. 'Dat doen ze altijd. Ze maken ruzie. En nog meer ruzie. En nog meer ruzie en nog meer ruzie en nog meer ruzie.'

'Waarom?'

'Nou, als ik je de korte versie vertel, moet ik een woord voor haar gebruiken dat Amerikanen over het algemeen erg aanstootgevend vinden. De lange versie is dat David van de universiteit af wil om aan de hogere hotelschool de koksopleiding te volgen. Hij is al geaccepteerd en heeft een beurs gekregen en de hele mikmak. Kok worden is zijn grote droom. Maar Fiona wil dat hij met haar meegaat naar Spanje.'

'Waarom Spanje?'

'Ze wil voor een reisbureau gaan werken,' zei hij. 'Als reisleidster. Ze wil dat hij meegaat, ook al zou het beter voor hem zijn als hij hier bleef. Maar hij gaat toch wel, want hij doet altijd alles wat zij wil. Vroeger waren we goede vrienden, maar nu niet meer. Het is nu Fiona voor en Fiona na.'

Hij schudde zijn hoofd, en Ginny kreeg het gevoel dat hij niet zomaar het gesprek gaande probeerde te houden. Dit zat hem echt dwars. Ze kon er echter nog niet over uit dat Fiona naar Spanje wilde. Wie besloot er nu zomaar in Spanje te gaan werken? Ginny had tot voor kort niet eens een vakantiebaantje gehad, en toen het de vorige zomer eindelijk mocht van haar ouders, was ze gewoon bij een drogisterij verderop in de straat aan de slag gegaan. Eén lange, pijnlijke zomer waarin ze vakken had gevuld met scheermesjes en mensen had gevraagd of ze belangstelling hadden voor een klantenkaart. En nu ging Fiona, die niet veel ouder kon zijn dan zij, er zomaar vandoor naar het zonnige Spanje. Ginny stelde zich voor hoe zo'n gesprek zou verlopen. 'Ik heb zó genoeg van het winkelcentrum... Ik denk dat ik maar een baantje ga zoeken bij The Gap in Madrid.'

De hele wereld leidde een interessanter leven dan zij.

'Aantrekkelijke meid,' zei Ginny.

Ze had geen idee waarom ze dat zei. Het klopte wel, min of meer. Fiona zag er immers elegant en opvallend uit. (Oké, het leek of ze pas uit het graf was opgestaan – knokig, spierwit haar, gescheurde kleren – maar dan wel in positieve zin.)

'Ze ziet eruit als een wattenstaafje,' zei Keith minachtend. 'Ze heeft voor zover bekend geen karakter en een afschuwelijke muzieksmaak. Je moest de rommel eens horen die ze opzet als ze hier is. Jij, daarentegen, hebt smaak.'

Die snelle verandering van onderwerp bracht Ginny van haar stuk.

'Vertel eens,' zei hij. 'Wat was er zo geweldig aan mijn musical dat je alle kaartjes wilde opkopen? Wilde je me soms helemaal voor jezelf?'

Het verbaasde haar niets dat ze geen woord kon uitbrengen. Dit was niet zomaar haar gebruikelijke nerveuze reactie. Het kwam doordat Keith op zijn knieën naar haar toe was geschoven en nu over de doos annex salontafel heen hing, met zijn gezicht nog geen dertig centimeter bij haar vandaan.

'Dat is het, hè?' vroeg hij. 'Toch? Privévoorstellingen.'

Nu glimlachte hij. Er lag een uitdagende blik in zijn ogen.

Ginny wist zelf ook niet waarom, maar ze stak haar hand in haar broekzak, pakte het geld stevig vast en liet het op de tafel vallen. Het rolletje viel langzaam uit elkaar, als een paars monstertje dat net uit het ei was gekropen. Overal verschenen piepkleine afbeeldinkjes van de koningin.

'Wat krijgen we nou?' vroeg hij.

'Dat is voor je musical,' zei ze. 'Of voor iets anders. Een nieuwe productie. Het is voor jou.'

Hij ging op zijn knieën zitten en keek haar aan.

'Dus jij geeft me zomaar...' Hij pakte het geld, vouwde de biljetten open en telde ze. 'Honderdveertig pond?'

'O...' Ze stak haar hand in haar zak en viste er twee munten van een pond uit. Het moest honderdtweeënveertig pond zijn. Toen ze haar hand uitstak naar de tafel om de munten aan de stapel toe te voegen, besefte ze dat de sfeer in de kamer opeens volledig was omgeslagen. Wat voor gesprek ze ook hadden kunnen voeren, die kans was nu verkeken. Met haar vreemde, onverwachte gebaar had ze het verbruid.

Tik. Tik. Ze legde de twee pond erbij.

Er viel een stilte.

'Ik moet maar eens terug,' zei ze zachtjes. 'Ik weet de weg.'

Keith opende zijn mond om iets te zeggen, maar wreef toen met de rug van zijn hand over zijn lippen, alsof hij een opmerking wilde wegvegen.

'Ik breng je wel even met de auto,' zei hij. 'Het lijkt me geen goed idee als je in je eentje teruggaat.'

Tijdens de rit zeiden ze niets tegen elkaar. Keith zette de radio hard. Zodra ze bij de stoep voor Richards huis stonden, zei Ginny hem gedag en stapte zo snel mogelijk uit.

Haar hart kon elk moment ontploffen. Nog even en het zou uit haar borstkas barsten en als een wanhopig naar adem snakkende vis op de stoep terechtkomen. Daar zou het zo lang mogelijk blijven kloppen, en rondstuiteren tussen de weggegooide snoepwikkels en sigarettenpeuken tot het tot bedaren was gekomen. Dan zou ze het oppakken en weer terug op zijn plaats stoppen. De beelden stonden haar haarscherp voor ogen. Veel scherper dan wat er zojuist was gebeurd.

Waarom? Waarom had ze, midden in wat mogelijk haar eerste romantische moment had kunnen zijn, besloten dat een handvol geld op de tafel gooien de juiste reactie was? Zweterige, opgerolde bankbiljetten en munten? En vervolgens te zeggen dat ze weg wilde?

Miriam zou haar vermoorden als ze het wist. En anders zou ze haar naar een tehuis voor ongeneeslijk domme, hopeloze romantici sleuren en haar daar voorgoed achterlaten. En dat was prima. Daar hoorde ze ook thuis. Dan was ze tenminste bij mensen die net zo waren als zij.

Ze keek omhoog naar de ramen van Richards huis. De lampen waren uit. Hij was vroeg naar bed gegaan. Als hij nog op was geweest, zou ze dit misschien met hem hebben besproken. Misschien had hij haar gerust kunnen stellen, haar kunnen vertellen hoe ze haar fout kon rechtzetten. Maar hij sliep al.

Ze peuterde de sleutel uit de barst in het stoepje, worstelde met de sloten en liet zichzelf binnen. Eenmaal op haar kamer deed ze het licht niet aan, maar haalde blindelings het pak enveloppen uit haar tas en pakte de bovenste eraf. Ze hield hem omhoog in het licht van de straatlantaarn dat door het raam naar binnen scheen. Er stond een inkttekening op van een kasteel hoog op een heuvel, met onder aan het pad dat ernaartoe liep de kleine gestalte van een meisje.

'Oké,' zei Ginny zachtjes. 'Zet het gewoon van je af. Vooruitkijken. Wat is het volgende plan?'

Lieve Gin,

Heb je weleens zo'n kungfufilm gezien waarin de leerling afreist naar het afgelegen oord waar de meester woont?

Vast niet. De enige reden dat ik er weleens een heb gezien, is dat ik in het tweede jaar van de universiteit een kamergenote had die geobsedeerd was door kungfu. Maar je snapt wel wat ik bedoel: Harry Potter gaat naar Zweinstein, Luke Skywalker gaat naar Yoda. Daar heb ik het over. De leerling gaat ergens naartoe om te worden opgeleid.

Zelf heb ik het ook gedaan. Na een paar maanden in Londen besloot ik mijn grote voorbeeld op te zoeken: de schilder Mari Adams. Ik heb haar mijn hele leven al willen ontmoeten. Mijn kamer in het studentenhuis hing vol met reproducties van haar werk. (En foto's van haar. Ze is erg... opvallend.)

Ik weet niet precies wat me ertoe bracht. Wel wist ik dat ik hulp nodig had met mijn kunst, en opeens besefte ik dat ze niet eens zo ver weg was. Mari woont in Edinburgh, een indrukwekkende en griezelige stad. Het kasteel van Edinburgh is iets van duizend jaar oud en staat patsboem midden in de stad op een grote rots, die The Mound wordt genoemd. De stad is heel oud en erg eigenaardig, vol kronkelende steegjes die ze *wynds* noemen. Moorden, geesten, politieke intriges... Edinburgh is ervan doordrenkt.

Hoe dan ook, ik ben op de trein gestapt en naar haar toe gegaan. Ze liet me zowaar binnen. Ik mocht zelfs een paar dagen bij haar logeren.

Ik wil dat jij haar ook leert kennen.

Dat is de hele taak. Specifieker hoef ik niet
te zijn. Je hoeft haar niets te vragen. Mari is
de meester, Gin, en zij zal wel weten wat je
nodig hebt, zelfs als jij dat niet weet. Zo
krachtig is haar kungfu. Geloof me maar op
mijn woord. De school is begonnen!

Liefs,

je weggelopen tante

De hardloper

Sommige mensen geloven dat ze door bepaalde machten worden gedreven, dat het universum paden voor hen baant door het dichtbegroeide woud van het leven en hun laat zien waar ze naartoe moeten. Ginny geloofde geen moment dat ze het hele universum kon beïnvloeden. Ze speelde echter wel met een wat specifieker, maar net zo vergezocht idee: tante Peg zat hierachter. Ze had iets geweten wat ze niet kón weten. Ze stuurde Ginny uitgerekend naar de stad waar Keith toch al naartoe moest om wat dingetjes voor zijn voorstelling te regelen.

Dat had je soms met tante Peg. Bepaalde dingen wíst ze gewoon, en haar gevoel voor timing was ronduit griezelig. Toen Ginny nog klein was, had tante Peg het altijd voor elkaar gekregen om haar te bellen als ze haar het hardst nodig had: als ze ruzie had gehad met haar ouders, als ze ziek was, als ze advies nodig had. Daarom kwam het niet helemaal als een verrassing dat ze had geweten dat Ginny naar Edinburgh moest, dat Ginny dat gedoe met het geld op de een of andere manier zou verbruien en een tweede kans nodig zou hebben.

Maar betekende het echt iets? Natuurlijk zou ze in theorie aan Keith kunnen vragen of hij zin had om met haar mee te gaan. Tenminste, als ze iemand anders was geweest. Miriam zou het hebben gedaan. Er waren meer dan genoeg mensen die het zouden hebben gedaan. Maar zij niet. Ze wilde het wel, dolgraag zelfs, maar ze durfde niet.

Om te beginnen had ze haar taak als mysterieuze weldoener volbracht. Ze had geen enkel excuus meer om contact met Keith op te nemen. Bovendien had ze het zichzelf wel heel moeilijk gemaakt na die stunt met het geld. En trouwens... hoe nodigde je iemand uit om samen met jou naar een ander land te gaan? (Hoewel het natuurlijk niet echt een ander land was. Het was voor haar gevoel net zoiets als naar Canada gaan. Het stelde niet zo heel veel voor. Lang niet zo ingrijpend als dat gedoe met David, Fiona en Spanje.)

Ze bleef de hele dag in Richards huis om de kwestie te overdenken. Eerst ging ze tv-kijken. De Britse tv leek hoofdzakelijk make-overprogramma's uit te zenden. Tuinmake-overs. Modemake-overs. Interieurmake-overs. Als het maar iets met verandering te maken had. Het leek wel een hint. Verander iets. Onderneem iets.

Ze zette de tv uit en keek om zich heen naar de woonkamer.

Ze ging schoonmaken, dat ging ze doen. Van schoonmaken werd ze meestal rustig. Ze deed de afwas, veegde de kruimels van de tafels en stoelen, vouwde de kleren op... alles wat ze maar kon bedenken. Wel een halfuur lang bestudeerde ze het vreemde apparaat met het glazen ruitje en de draaiknop met de letters eromheen, dat in de keuken onder het aanrecht stond. In eerste instantie dacht ze dat het een heel vreemde oven was. Het duurde even voor ze besefte dat het een wasmachine moest voorstellen.

Tegen vijf uur was ze nog steeds niet van dat onrustige gevoel af. Toen belde Richard om te zeggen dat hij pas laat thuis zou zijn.

Ze kon niet meer stilzitten.

Ze zou een eindje gaan lopen. Gewoon om zichzelf te bewijzen dat ze de weg nog wist. Zo ver was het niet. Ze zou ernaartoe lopen, even naar het huis kijken en weer teruggaan. Dan kon ze zichzelf voorhouden dat ze er in elk geval was geweest. Het was triest, maar het was beter dan niets.

Ze schreef snel een briefje voor Richard en ging naar buiten. Zorgvuldig en zo goed en zo kwaad als het ging, volgde ze de routebeschrijving die ze in haar hoofd had. Kranten- en tijdschriftenwinkel... Gele kegels midden op de weg... De zigzaggende lijnen op de straat... Het zat allemaal ergens in haar hoofd. Maar al snel begonnen alle huizen op elkaar te lijken. Allemaal zagen ze er precies zo uit als Keiths huis.

Ze liep een hoek om en zag eindelijk de aanwijzing die ze nodig had – namelijk David. Hij liep op de stoep voor het tuinhekje heen en weer met een mobiele telefoon tegen zijn oor gedrukt. Hij klonk niet erg blij. Hij zei telkens alleen maar: 'Nee,' en: 'Prima,' op een toon die erg onheilspellend klonk.

Ginny was al vlak bij het huis tegen de tijd dat ze besefte dat hij het was. Even overwoog ze een stukje terug te lopen en te wachten tot hij weer naar binnen ging, maar hij had haar zien aankomen. Ze kon niet zomaar wegrennen. Dat zou raar zijn. Langzaam en voorzichtig liep ze naar hem toe, want veel keus had ze niet. Toen ze bij het hek was, zweeg hij opeens. Vervolgens verbrak hij met een boze, felle beweging de verbinding, ging op het lage muurtje zitten dat om de voortuin stond, en legde zijn hoofd in zijn handen.

'Hoi,' zei Ginny voorzichtig.

'Nou, dat was het dan.' Hij schudde zijn hoofd. 'Ik ga niet mee. Ik heb het haar net verteld. Ik heb haar verteld dat ik niet naar Spanje wil.'

'O,' zei Ginny. 'Nou, mooi. Voor jou, dan.'

'Ja,' zei hij met een trage hoofdknik. 'Het is inderdaad mooi. Ik bedoel, ik moet toch een eigen leven opbouwen, nietwaar?'

'Inderdaad.'

David knikte nogmaals en barstte toen in hevig gesnik uit. Boven klonk geritsel, en toen Ginny opkeek, zag ze dat de scheve, zwarte luxaflex voor Keiths raam heen en weer wiegde. Binnen een mum van tijd stond Keith bij hen op de stoep. Hij wierp Ginny een blik toe. Ze kon zien dat hij in verwarring was gebracht, niet alleen door haar aanwezigheid, maar ook doordat zijn huisgenoot op de stoep zat te huilen. Even voelde ze zich zowaar schuldig, tot ze zich herinnerde dat ze er niets aan kon doen.

'Oké,' zei Keith, die met grote passen naar zijn auto liep en het portier aan de passagierskant opende. 'Instappen. En vlug een beetje.'

Ginny wist niet zo goed tegen wie hij het had. David ook niet. Ze keken elkaar aan.

'Jullie allebei,' zei Keith. 'Tijd voor Brick Lane.'

Een paar minuten later reden ze gedrieën met hoge snelheid naar hartje Oost-Londen, waar de huizen wat grauwer werden en de uithangborden waren beschreven met het kronkelige schrift van compleet onbekende talen. Aan beide kanten van de straat zaten Indiase restaurants, de lucht was doortrokken met de geur van kruiden en specerijen en alles was zo te zien nog open, ook al was het al middernacht. Strengen gekleurde lampjes liepen van het ene gebouw naar het andere, en in de deuropeningen stonden klantenlokkers, die gratis bier of hapjes aanboden aan iedereen die binnen wilde komen. Keith wist echter precies waar hij naartoe wilde. Hij nam hen mee naar een klein, heel schoon restaurantje waar per klant wel vier obers rondliepen.

Ginny had geen honger, maar vond dat ze wel moest mee-eten. Ze had echter geen idee wat ze moest bestellen.

'Ik zal maar hetzelfde nemen als jullie,' zei ze tegen Keith.

'Als jij hetzelfde neemt als wij, wordt dat je dood,' zei Keith. 'Probeer de milde curry maar.'

Ze besloot hem op zijn woord te geloven.

Keith bestelde een hele lijst gerechten, en al snel stond hun tafeltje vol met mandjes vol grote, platte dingen die papadums schenen te heten. Er stond een selectie felgekleurde chutneys bij waar grote stukken hete peper in dreven, en er was bier. Zodra Ginny het feestmaal zag, begreep ze het. Keith wilde David troostvoer geven. Dat had zij voor Miriam ook gedaan, toen die het afgelopen zomer had uitgemaakt met Paul, alleen bestond haar versie uit twee liter ijs, een doos minicakejes en zes blikjes cassis. Jongens zouden nooit tevreden zijn met dat soort troost. Als zij troostvoer tot zich namen, zouden ze er wel voor zorgen dat er iets pijnlijks en mannelijks aan te pas kwam.

Keith ratelde aan één stuk door. Hij begon met een verhaal over hem en zijn 'maat Iggy', die het leuk vond om met z'n broek in de fik bij meisjes aan te bellen. (Het was een trucje, zo legde hij uit. Je spoot de broek in met iets uit een spuitbus, ovenreiniger bijvoorbeeld, en stak vervolgens de dampen aan, zodat er alleen op het oppervlak van de broek wolken van vuur ontstonden, die je gemakkelijk kon doven, vooropgesteld dat je je op het juiste moment op de grond liet vallen – wat hen meestal wel lukte.)

De curry werd gebracht, en alleen al van de stoom die van de borden van Keith en David kwam, begonnen Ginny's ogen te branden en te tranen. David porde lusteloos met zijn vork in zijn eten en luisterde met een verdwaasde, starre uitdrukking op zijn gezicht naar Keiths geklets. Zijn mobieltje ging. Hij keek naar het nummer en sperde zijn ogen open.

'Niet doen,' zei Keith, die met zijn met curry bedekte vork naar Davids mobieltje wees.

David keek gekweld.

'Ik moet wel,' zei hij. Hij griste het ding van de tafel. 'Ik ben zo terug.'

'Oké,' zei Keith toen David weg was. 'We zetten even alles op een rijtje. Gisteravond heb je me om de een of andere mysterieuze reden honderdtweeënveertig pond gegeven, waarna je ervandoor bent gegaan. Vanavond sta je opeens voor mijn huis, precies op het moment dat mijn huisgenoot instort. Ik ben toch een beetje nieuwsgierig wat dat allemaal te betekenen heeft.'

Voor ze antwoord kon geven, greep de ober zijn kans om de kruimels van Davids stoel te vegen. Hij was als een aasgier bij hun tafeltje blijven hangen, wachtend tot ze alle papadums hadden opgegeten, zodat hij het mandje kon meenemen. Hij liet zijn blik smekend op het laatste stukje rusten, alsof dat het enige was wat tussen hem en het eeuwige geluk in stond. Ginny greep het en stopte het in haar mond. Met een opgeluchte blik pakte de man het mandje, maar bijna meteen was hij terug en richtte zijn droevige blik op hun waterglazen. Op dat moment kwam David weer binnen en liet zich met een bons op zijn stoel vallen. Meteen sprong de ober op hem af om te vragen of hij nog een biertje wilde. Hij knikte vermoeid. Keith wendde zijn blik af van Ginny en keek David aan.

'En?'

'Gewoon, ze wil een paar spullen terug,' zei hij.

Er werd niets meer gezegd, tot de ober even later terugkwam met nog een reusachtige fles bier. David zette hem aan zijn mond en dronk hem in een paar enorme teugen voor eenderde leeg.

Door het telefoontje en het bier kwam David een beetje los. Gewoonlijk was hij heel beleefd, maar nu veranderde hij langzaam in iemand anders. Hij somde een hele lijst op met dingen over Fiona waaraan hij zich al een hele tijd ergerde, en die hij kennelijk wel had opgemerkt maar voor zich had gehouden.

En natuurlijk wilde hij nog wel een biertje.

In eerste instantie leek het David goed te doen om zich zo af te reageren. Hij werd wat alerter. Toen begon hij echter wellustige blikken te werpen op een vrouw aan een andere tafel, die zich er duidelijk aan ergerde dat hij zo luid praatte. Hij werkte zijn curry naar binnen en werd steeds luidruchtiger.

'Hij is lazarus,' zei Keith. 'Tijd om te gaan.'

Keith vroeg de immer beschikbare ober om de rekening en gooide een paar verfrommelde bankbiljetten op tafel. Zo te zien was het het geld dat ze hem de avond tevoren had gegeven. Ze kon haar eigen vingerafdrukken zowat herkennen.

'Ik ga de auto halen,' zei hij. 'Wil jij even bij hem blijven?'

David keek om zich heen, zag dat Keith weg was, kwam overeind en strompelde naar de deur. Ginny liep achter hem aan. David stond op de stoep te wachten en keek om zich heen naar de straat alsof hij verdwaald was.

Ginny bleef nerveus bij de deur hangen.

'Mensen veranderen niet,' zei hij. 'Je moet ze gewoon accepteren zoals ze zijn. Snap je wat ik bedoel?'

'Ik geloof het wel,' zei Ginny onzeker.

'Kun je misschien een ijsje voor me gaan halen?' vroeg hij met een hoofdknik naar een winkeltje vlakbij, waar een reclamebord voor ijs voor het raam hing. 'Ik wil graag een ijsje.'

David was een beetje ingekakt nu hij was opgestaan. En trouwens, ze kon best begrijpen dat hij op zo'n moment trek had in ijs. Ze liep het winkeltje binnen en koos een ijsje met een dikke laag chocola voor hem uit. Toen ze weer buiten kwam, was hij echter verdwenen.

Toen Keith eraan kwam rijden, stond ze er nog steeds, met het snel smeltende ijsje in haar handen.

'Is hij ervandoor gegaan?' vroeg hij.

Ginny knikte.

'Ik rijd wel deze kant op,' zei hij. 'Jij neemt de andere kant. Dan wachten we hier weer op elkaar.'

Er waren die avond ongelooflijk veel mensen op de been in Brick Lane, voornamelijk groepjes mannen in pakken. Ze zag David een paar panden verderop, waar hij naar de menukaart van een ander restaurant stond te staren. Toen hij Ginny zag, rende hij weg. Ginny ging achter hem aan. Ze had geen keus. Als David te veel alcohol dronk, bracht dat kennelijk de ondeugende kobold in hem naar boven. Telkens als Ginny achterop dreigde te raken, bleef hij grijnzend staan. Zodra ze dichtbij genoeg was om zijn lach te kunnen horen, ging hij er weer vandoor.

Tot haar grote opluchting kwam Keiths auto om de hoek. Keith was al bijna bij David, toen die zich omdraaide en de andere kant op rende, recht op Ginny af. Keith kon met geen mogelijkheid keren, dus moest hij doorrijden. Het was aan Ginny om achter David aan te gaan.

David leidde haar door de hele buurt: langs woonhuizen, langs gesloten sari- en kledingwinkels. Ze kwamen steeds vaker in grimmig uitziende straten terecht. Ginny was buiten adem en ze had maagpijn van de curry, maar ze liet hem niet gaan. Na een minuut of tien accepteerde ze het feit dat David niet van plan was met het spelletje op te houden. Ze zou vals moeten spelen. Met een luide kreet liet ze zich op de stoep vallen en greep naar haar been. David draaide zich om, maar deze keer kon hij zelfs door de alcoholwaas heen zien dat er iets mis was. Hij aarzelde even, maar toen hij besefte dat Ginny niet meer achter hem aan kwam, bleef hij staan.

Hij zag Keith niet toen die van achteren op hem af rende en hem pootjehaakte. Hij drukte David met zijn buik tegen de stoep en ging boven op hem zitten.

'Goed bedacht, van dat been,' zei Keith, snakkend naar

adem. 'Goeie genade... Nooit geweten dat hij zo hard kon rennen.'

Al binnen een paar tellen nadat hij tegen de grond was gewerkt, zakte David weg in een passieve, bijna bewusteloze toestand. Keith trok hem overeind en bracht hem naar de auto. Ginny kroop op de achterbank, zodat David voorzichtig voorin kon worden gezet.

'Hij gaat in mijn auto zitten kotsen,' zei Keith bedroefd toen ze wegreden. 'En ik heb hem pas schoongemaakt.'

Ginny keek naar de verzameling zakken en afval die om haar heen op de piepkleine achterbank lag.

'O ja?'

'Nou ja, ik heb al die rommel achterin gegooid.'

Ginny boog voorover en zette David, die onderuit dreigde te zakken, weer rechtop.

'Ik neem hem mee naar huis. Daar kan hij zijn roes uitslapen en kan ik hem in de gaten houden. Ik zet je wel even thuis af.'

David hield het vol tot aan de stoep voor Richards huis, maar toen kwam Keiths voorspelling uit. Zodra ze stopten, opende hij het portier en spuugde alles uit. Toen het ergste voorbij was, liepen Keith en Ginny een paar keer met hem door de straat heen en weer, tot de misselijkheid een beetje was gezakt. Toen brachten ze hem terug en zetten hem tegen het hek aan.

'Het komt wel goed met hem,' zei Keith knikkend. 'Dat had hij even nodig. Word je helder van.'

David zakte langzaam langs het hek omlaag. Keith greep hem bij de arm en zette hem weer rechtop.

'We moesten maar eens gaan,' zei hij. 'Dat was een goeie, wat je met je been deed. Een hele goeie. En je bent snel. Kennelijk ben je niet helemaal geschift.'

'Eh...'

'Ja?'

'Daarstraks...'

'Ja?'

'Ik kwam vragen of je zin had om met me mee te gaan naar

Schotland,' zei ze snel. 'Ik moet naar Edinburgh, en omdat je zei...'

'Waarom moet je daarnaartoe?'

'Gewoon... omdat dat moet.'

'Wanneer?'

'Morgen?'

David zakte naar voren en viel tegen de motorkap van Keiths auto. Keith deed een stap in zijn richting. Het leek of hij David wilde gaan helpen, maar op het laatste moment draaide hij zich om, nam Ginny's gezicht tussen zijn handen en gaf haar een kus. Het was geen tedere, trage, 'je lippen zijn als zachte bloemblaadjes'-kus. Het was eerder een 'dank je'-kus. Of zelfs een 'Goeie show!'-kus.

'Waarom ook niet?' zei hij. 'De voorstelling begint toch pas morgenavond om tien uur. Morgenochtend. Halfnegen. Kings Cross Station. Bij de kassa van Virgin Rail.'

Voordat ze kon reageren, had Keith David al overeind gesleurd en voor in de auto gezet; hij salueerde even kort naar haar voor hij wegreed. Ginny bleef nog ettelijke minuten staan, niet in staat zich te verroeren. Voorzichtig legde ze haar vingers tegen haar lippen, alsof ze het gevoel daar wilde vasthouden.

Het duurde even voor ze merkte dat er een diertje achter een geparkeerde auto vandaan was gekomen en nu langzaam op weg was naar de vuilnisemmer waar ze vlakbij stond. Ze zocht even in de databank in haar hoofd, en na een tijdje besloot ze dat het – hoe onwaarschijnlijk het ook leek – een vos moest zijn. Ze had nog nooit een vos gezien, behalve op de tekeningen in een boek met verzamelde sprookjes. Dit diertje zag er net zo uit als op de plaatjes: het had een lange snuit, een klein neusje, een roodbruine vacht en een timide, tersluikse manier van lopen. Langzaam trippelde hij op haar af, met zijn kopje nieuwsgierig een beetje scheef, alsof hij haar wilde vragen of zij soms eerst die vuilnisemmner wilde doorzoeken.

'Nee,' zei ze hardop, en meteen vroeg ze zich af waarom ze stond te praten met iets wat waarschijnlijk een vos was – een vos die misschien wel hondsdol was en op het punt stond haar naar de keel te vliegen. Vreemd genoeg was ze niet bang.

De vos leek haar antwoord te begrijpen, sprong sierlijk op de rand van de vuilnisemmer en liet zich erin vallen. De grote plastic emmer rammelde terwijl hij de inhoud onderzocht. Ginny voelde een vreemd soort genegenheid voor de vos in haar binnenste opwellen. Hij had haar zien kussen. Hij was niet bang voor haar. Hij was op jacht. Hij had honger.

'Ik hoop dat je iets lekkers vindt,' zei ze zachtjes. Toen draaide ze zich om en ging naar binnen.

De meester en de kapper

De reis naar Schotland duurde vierenhalf uur, en het grootste deel van die tijd zat Keith vast in slaap met zijn hoofd tegen het raam en een stripboek ('Het is een grafisch maandblad!') in zijn in een vingerloze leren handschoen gehulde hand geklemd. Hij werd snuivend en met een ruk van zijn hoofd wakker op het moment dat de trein Edinburgh binnen reed.

'Station Waverley?' vroeg hij, langzaam knipperend met zijn ogen. 'Mooi. Eruit, anders zitten we straks in Aberdeen.'

Via een lange trap liepen ze omhoog, het station uit (dat erg leek op het station dat ze nog maar een paar uur eerder hadden verlaten). Ze kwamen uit op een straat vol grote warenhuizen. In tegenstelling tot Londen, dat verzonken, compact en overvol aanvoelde, leek Edinburgh echter weids en open. De blauwe hemel strekte zich boven hun hoofden uit, en toen Ginny zich omdraaide, zag ze dat de stad op honderden verschillende niveaus was gebouwd. Overal waren heuvels en dalen. Rechts van haar, op een reusachtige uitstekende rots die leek op een sokkel, stond een kasteel.

Keith ademde diep in en sloeg op zijn borst.

'Goed,' zei hij. 'Naar wie moet je ook alweer toe?'

'Naar een vriendin van mijn tante. Een of andere schilder. Ik heb een routebeschrijving naar haar huis...'

'Laat eens zien.'

Voordat ze verder nog iets kon zeggen, pakte hij de brief uit Ginny's hand.

'Mari Adams?' vroeg hij. 'Die naam ken ik.'

'Ze schijnt vrij bekend te zijn,' zei Ginny op bijna verontschuldigende toon.

'O.' Hij bekeek de routebeschrijving nog een keer en fronste zijn voorhoofd. 'Ze woont in Leith, aan de andere kant van de stad. Oké. Dat vind jij in je eentje nooit. We kunnen maar beter samen gaan. Ik moet alleen even naar het kantoor van de organisatie van The Fringe, en dan kunnen we op pad.'

'Je hoeft niet...'

'Geloof me nou maar, je verdwaalt onherroepelijk. En dat kunnen we niet hebben. Kom mee.'

Hij had gelijk. Ze had Mari's huis nooit op eigen houtje kunnen vinden. Zelfs Keith kon maar nauwelijks wijs worden uit de busplattegrond die hen naar het juiste hoekje van de stad moest brengen, en ze moesten flink hun best doen om de precieze locatie van haar huis te vinden. Mari woonde aan een groot water, dat Keith de Firth of Forth noemde.

Aangezien ze een heel eind waren verwijderd van het station, kon Keith niet zomaar omkeren en teruggaan, dus besloot hij met Ginny mee te lopen naar Mari's voordeur. Rond de deurpost was een ingewikkeld patroon geschilderd: gouden salamanders, een vos, vogels en bloemen. De klopper had de vorm van een reusachtig vrouwenhoofd met een grote ring in de neus. Ginny sloeg er één keer mee op de deur en deed toen een paar passen achteruit.

Even later werd de deur door een meisje opengedaan. Ze droeg een overall van rode spijkerstof met magnetische speelgoedletters erop, die met dikke, duidelijk zichtbare steken waren vastgenaaid. Ze had geen shirt aan; ze had gewoon de overall zo hoog mogelijk opgehesen. Haar boze gezicht werd omlijst door haar dat helwit was gebleekt. Bovenop was het kort en piekerig, maar op haar rug hingen lange vlechten. Een kruising tussen een mat en dreadlocks.

'Ja?' zei ze.

'Eh... hoi.'

'Ja?'

Tot nu toe ging het echt fantastisch.

'Mijn tante heeft hier gelogeerd,' zei Ginny, die haar best deed niet te lang naar één bepaald aspect van het uiterlijk van het meisje te staren. 'Ze heette Peg. Margaret. Margaret Bannister.'

Een strakke, koele blik. Ginny zag dat de wenkbrauwen van het meisje bijna net zo donkerbruin waren als die van haar.

'Ik moest hiernaartoe komen,' zei Ginny, zwaaiend met de blauwe envelop alsof het een visum was waarmee ze zich toegang kon verschaffen tot het huis van een volslagen vreemde. Er stak een krachtige, zomerse wind op die het dunne papier deed klapperen en bijna uit haar hand trok.

'Ja, oké.' Het meisje had een scherp Schots accent. 'Effe wachten.'

Ze sloeg de deur in hun gezicht dicht.

'Vriendelijk, hoor,' zei Keith. 'Dat moet je haar nageven.'

'Hou nou eens je mond,' hoorde Ginny zichzelf zeggen.

'Wat ben jij snel op je teentjes getrapt, zeg.'

'Ik ben zenuwachtig.'

'Ik snap niet waarom,' zei hij terwijl hij onschuldig de schilderingen rond de deur bekeek. 'Alles lijkt me volkomen normaal.'

Vijf minuten later ging de deur weer open.

'Mari is aan het werk,' zei het meisje. 'Maar kom toch maar binnen.'

Het meisje liet de deur openstaan, wat ze opvatten als een teken dat ze achter haar aan moesten lopen.

Ze bevonden zich duidelijk in een heel oud huis. In elke kamer zat een grote open haard met onder de roosters kleine hoopjes as. Overal hing de vage geur van verbrand hout, hoewel Ginny vermoedde dat de as al minstens een paar weken oud was. De vloeren waren allemaal kaal, met hier en daar een wollig wit kleed, maar ze kon er geen patroon in ontdekken. Elke kamer had een andere kleur: de ene was lichtblauw, de volgende was roodbruin, de hal was grasgroen. De vensterbanken en de plinten langs de vloer waren allemaal vrolijk geel. Het enige meubelstuk dat ze in de eerste paar kamers zag, was een reusachtige, rijk bewerkte kersenhouten tafel met een marmeren blad en een grote spiegel. Hij was bezaaid met speelgoed: klapperende tanden, tollen, autootjes, een boksende non-nenmarionet en een opwind-Godzilla.

Maar overal – werkelijk overal – hingen schilderijen. Voornamelijk reusachtige schilderijen van vrouwen. Vrouwen met wilde bossen haar waar allerlei dingen uit kwamen, vrouwen die met sterren jongleerden. Zwevende vrouwen, vrouwen die door duistere wouden slopen, vrouwen die werden omringd door fel blinkend goud. Schilderijen die zo groot waren dat er aan elke muur maar een of twee konden hangen.

Het meisje leidde hen steeds dieper het huis in, en toen drie gammele houten trappen op met aan weerszijden nog meer schilderijen. Bovenaan kwamen ze bij een deur waarvan de post met goudkleurige hoogglansverf was beschilderd.

'Hier,' zei het meisje, voor ze zich omdraaide en weer naar beneden liep.

Ginny en Keith staarden naar de grote gouden deur.

'Bij wie gaan we ook alweer op bezoek?' vroeg hij. 'Bij God?'

Als antwoord zwaaide de deur open.

Ginny had nooit kunnen vermoeden dat het meisje dat de deur had opengedaan de prijs voor de ongebruikelijkste en meest imposante verschijning zo snel zou kwijtraken, maar Mari versloeg haar op alle fronten. Ze moest minstens zestig zijn. Dat kon Ginny aan haar gezicht zien. Ze had een reusachtige halo van lang, ongekamd, gitzwart haar met oranje highlights. De kleren die ze droeg, waren eigenlijk net een tikje te klein en te krap voor haar mollige lijf: een shirt met boothals en verticale strepen, en een spijkerbroek met een zwarte riem, bedekt met dikke sierknoppen. Het spande allemaal weinig flatteus om haar buik, maar toch misstond het haar niet. Haar ogen waren dik omrand met een zwarte potloodlijn. Op haar jukbeenderen zaten zo te zien drie identieke sproetjes, vlak onder haar ogen. Toen Ginny de kamer binnen liep, zag ze echter dat het piepkleine, getatoeëerde blauwe sterretjes waren. Ze droeg platte, goudkleurige sandalen, en Ginny zag dat ze ook tatoeages op haar voeten had: woorden in een piepklein, paars handschrift. Toen ze haar handen uitstak, Ginny's gezicht omvatte en haar op elke wang een kus gaf, zag Ginny dat op haar handen soortgelijke boodschappen stonden.

'Dus jij bent Pegs nichtje?' vroeg Mari terwijl ze Ginny losliet.

Ginny knikte.

'En jij bent?' Dat was tegen Keith gericht.

'Haar kapper,' zei hij. 'Zonder mij gaat ze nergens naartoe.'

Mari gaf hem een klopje op zijn wang en glimlachte.

'Ik mag jou wel,' zei ze. 'Lust je een chocolaatje?'

Ze liep naar haar zonnige werktafel en pakte een grote emmer vol minichocoladereepjes. Ginny schudde haar hoofd, maar Keith pakte er een handvol uit.

'Ik zal Chloe vragen of ze thee voor ons wil zetten,' zei ze.

Een paar minuten later kwam Chloe (dat was misschien wel de laatste naam ter wereld die Ginny het meisje in de rode overall zou hebben gegeven – ze leek meer op een 'Hank') binnen met een aardewerken dienblad met daarop een bruine theepot, een schaaltje suikerklontjes en een kannetje melk. Op het dienblad lagen nog meer minichocoladereepjes. Toen Mari haar handen ernaar uitstak, zag ze dat Keith zijn blik liet rusten op de woorden die in haar huid waren getatoeëerd.

'Dat zijn de namen van mijn honden, degene die zijn gestorven,' zei Mari. 'Ik heb mijn handen aan hen opgedragen. De namen van mijn vossen staan op mijn voeten.'

In plaats van de logische reactie te geven, namelijk: 'Hebt u vossen dan? En hebt u echt hun namen op uw voeten laten tatoeëren?' zei Ginny: 'Ik geloof dat ik gisteravond een vos heb gezien. In Londen.'

'Dat zou best kunnen,' zei Mari. 'In Londen stikt het van de vossen. Het is een magische stad. Zelf heb ik drie vossen als huisdier gehad. Toen ik nog in Frankrijk woonde, heb ik een kooi in de tuin laten bouwen. Daarin sloot ik me overdag bij hen op om te schilderen. Vossen zijn geweldige metgezellen.'

Keith keek alsof hij op het punt stond iets te zeggen, maar Ginny zette haar voet stevig op de punt van zijn schoen en drukte er met haar volle gewicht op.

'Het is goed om af en toe in een kooi te gaan zitten,' ging Mari verder. 'Zo blijf je geconcentreerd. Ik kan het iedereen aanraden.'

Ginny trapte nogmaals hard op Keiths voet. Hij klemde zijn lippen stevig op elkaar en draaide zich om naar de schilderijen die vlak naast hem aan de muur hingen. Mari schonk thee in, gooide een grote hoeveelheid suiker in haar kopje en roerde luidruchtig.

'Het spijt me vreselijk van je tante,' zei ze uiteindelijk. 'Ik vond het vreselijk te horen dat ze was overleden. Maar ze was heel ziek...'

Keith wendde zich af van een schilderij van een vrouw die in een blik bonen veranderde en keek Ginny met opgetrokken wenkbrauw aan.

'Ze zei al dat je misschien langs zou komen. Ik ben blij dat je er bent. Ze was een heel goede schilder, weet je. Echt heel goed.'

'Ze heeft een stel brieven voor me achtergelaten,' zei Ginny, die Keiths blik meed. 'Ze heeft me gevraagd hiernaartoe te komen en bij u langs te gaan.'

'Ze heeft weleens gezegd dat ze een nichtje had.' Mari knikte veelbetekenend. 'Ze vond het vreselijk dat ze je moest achterlaten.'

Keiths wenkbrauw ging nog verder omhoog.

'Ik ben een hele tijd dakloos geweest,' ging ze verder. 'Ik heb in Parijs op straat geleefd. Geld had ik niet. Alleen een tas vol verf, een reservejurk en een dikke bontjas die ik het hele jaar door droeg. Vaak rende ik langs de terrassen van restaurantjes om eten bij mensen van het bord te jatten. In de zomer ging ik regelmatig de hele dag onder een brug zitten schilderen. Ik was toen een beetje gek, maar het was gewoon iets wat ik moest doen.'

Ginny voelde haar keel droog worden en had het onaangename gevoel dat zowel Mari als Keith haar vorsend opnamen. Het feit dat ze midden in de zon zat die door de paneeltjes in het oeroude raam boven Mari's werktafel naar binnen viel, maakte het er niet beter op. Bedachtzaam schoof Mari met één vinger een chocoladewikkel over de tafel heen en weer.

'Kom mee,' zei ze. 'Allebei. Dan zal ik jullie iets laten zien.'

Achter in de kamer, in iets wat eruitzag als een kast, zat de smalste trap die Ginny ooit had gezien. Het was een nauwe, stenen wenteltrap. Mari kon haar lijf er nét doorheen persen. Ze kwamen uit op een zolder met een laag, gewelfd plafond dat zuurstokroze was geverfd. De kamer rook naar aangebrand brood en eeuwenoud stof, en overal stonden planken boordevol enorme kunstboeken met op de ruggen titels in alle talen die Ginny kon herkennen, en nog veel meer talen waar ze geen naam aan kon verbinden.

Mari pakte een uitzonderlijk groot boek met een dikke laag stof erbovenop en sloeg het op een van de tafels met een bons open. Ze bladerde even, tot ze bij de plaat kwam die ze zocht. Het was een heel oude, felgekleurde afbeelding van een man en een vrouw die hand in hand stonden. Het was een ongelooflijk precieze schildering, bijna een foto.

'Deze is van Jan van Eyck,' zei ze, wijzend naar de reproductie. 'Het is een schilderij van een verloving. Een heel gewoon tafereel: er staan schoenen op de vloer, er is een hond. Hij heeft de gebeurtenis vastgelegd. Gewoon twee doorsnee mensen die zich hebben verloofd. Niemand had ooit zo veel moeite gedaan om het leven van gewone mensen vast te leggen.'

Ginny besefte dat Keith al een tijdje niet meer had geprobeerd iets te zeggen. Hij stond ingespannen naar de afbeelding te kijken.

'Hier,' zei Mari, en ze wees met haar lange, smaragdgroene nagel naar het midden van het schilderij. 'Precies in het midden. Het brandpunt. Zie je wat daar hangt? Een spiegel. En in die spiegel zie je de kunstenaar. Hij heeft zichzelf in het schilderij geschilderd. En vlak erboven staat een inscriptie: "Jan van Eyck was hier."'

Ze sloeg het boek dicht alsof ze zo haar woorden kracht wilde bijzetten, en er vloog een stofje omhoog.

'Soms willen schilders zichzelf vastleggen terwijl ze vanuit een schilderij naar buiten kijken, zodat de wereld hen ook eens kan zien. Het is een soort handtekening. Deze is wel erg brutaal. Maar het is ook een getuigenis. We willen ons dingen herinneren en we willen herinnerd worden. Daarom schilderen we.'

Mari leek naar een duidelijke boodschap toe te werken, iets waar Ginny met haar verstand bij kon. We willen ons dingen herinneren, en we willen herinnerd worden. Daarom schilderen we.

Maar toen ging Mari verder.

'Ik heb mijn handen en voeten gemerkt om mijn metgezellen, mijn geliefden, niet te vergeten,' zei ze met een blik op haar tatoeages.

Keiths ogen vlamden op. Hij had zijn mond al open en een geluid uitgebracht dat klonk als 'iii', toen Ginny weer op zijn voet ging staan.

'Wanneer ben je jarig?' vroeg Mari.

'18 augustus,' antwoordde Ginny, in verwarring gebracht.

'Leeuw. Aha. Terug naar beneden, liefje.'

Ze wurmden zich weer langs de stenen trap naar beneden. Er was geen balustrade, dus hield Ginny zich aan de muur vast. Mari schuifelde terug naar haar werktafel en klopte op een krukje dat ernaast stond, ten teken dat Ginny moest gaan zitten. Aarzelend liep Ginny ernaartoe.

'Oké. Eens zien.' Ze nam Ginny van top tot teen op. 'Trek je shirt eens uit.'

Keith sloeg zijn armen over elkaar en ging in de hoek op de vloer zitten. Met opzet wendde hij zijn blik niet af. Ginny keerde hem haar rug toe en trok een beetje beschaamd haar shirt uit. Had ze nu maar een mooiere beha aan. Ze had een mooie ingepakt, maar natuurlijk had ze vandaag die grijze sportbeha van stretchstof aangetrokken.

'Ja,' zei Mari, terwijl ze Ginny's huid bestudeerde. 'De schouder, denk ik. Je tante was Waterman. Het is volkomen logisch als je erover nadenkt. Stil blijven zitten nu.'

Mari pakte haar pennen en begon te tekenen.

Ginny kon de pennenstreken op de achterkant van haar schouder voelen. Het deed geen pijn, maar de pen was wel scherp. Ze vond echter dat ze niet mocht zeuren, want er stond immers een beroemde kunstenares op haar huid te tekenen. Niet dat ze wist waarom.

Mari werkte langzaam. Ze tekende stipje voor stipje, prikje voor prikje, worstelend met de elasticiteit van de huid. Ze stond regelmatig op om een chocolaatje te pakken of naar een vogel te kijken die op het zaadbolletje in het raam af was gekomen, of om Ginny van voren aan te staren. Het duurde zo lang dat Keith in de hoek in slaap viel en begon te snurken.

'Zo,' zei Mari, die achteroverleunde om haar werk te bekijken. 'Het zal niet eeuwig blijven zitten. Na een tijdje slijt het. Maar zo moet het deze keer ook zijn, vind je niet, liefje? Tenzij je er een permanente tatoeage van wilt maken. Ik ken een heel goede salon.'

Ze pakte een piepklein spiegeltje uit een voorraadla en probeerde dat zo te houden dat Ginny haar schouder kon zien. Ze moest haar hoofd pijnlijk ver omdraaien om er een glimp van te kunnen opvangen. Het was een felle, goudkleurige leeuw. Zijn manen staken wild naar alle kanten uit (grote bossen haar leken een vast thema in Mari's werk te zijn), en gingen na een tijdje over in blauwe waterstralen.

'Jullie mogen best blijven logeren als jullie willen,' zei Mari. 'Ik zal aan Chloe vragen of ze...'

'De trein,' zei Keith snel. 'We moeten de trein halen.'

'We moeten de trein halen,' herhaalde Ginny. 'Maar bedankt. Voor alles.'

Mari liep met hen mee naar de deur. Boven aan het trapje deed ze een stap naar voren en sloeg haar mollige armen om Ginny heen. Haar krankzinnige haar vulde Ginny's blikveld, en opeens was de wereld zwart met oranje strepen.

'Laat hem niet ontsnappen,' fluisterde ze in Ginny's oor. 'Ik mag hem wel.'

Mari deed een stap achteruit, knipoogde naar Keith en sloot

de deur. Even stonden ze allebei verdwaasd naar het patroon van salamanders te kijken.

'Nou,' zei Keith, terwijl hij Ginny bij de arm pakte en in de richting van de bushalte leidde, 'we hebben Vrouwe MacRaar ontmoet. Als je me nu eens uitlegde wat er gaande is?'

De monsters vallen aan

Ze stapten in de trein naar huis, en aan de andere kant van het raampje veranderde het landschap snel. Eerst was er de stad, gevolgd door groene heuvels en weiden met honderden schapen die knabbelden aan de eindeloze grazige vlakten. Daarna reden ze langs de zee, en toen door dorpjes met piepkleine bakstenen huizen en ongelooflijk grote kerken, die overal hoog boven uittorenden. Er was fel zonlicht, plotselinge mist en een laatste felpaarse flits, voor het langzaam donker werd. De Engelse dorpjes die ze passeerden, waren niet meer dan vegen oranje lamplicht.

Het had haar bijna de hele rit gekost om het verhaal in grote lijnen uit te leggen. Ze moest helemaal bij het begin beginnen: bij New York, bij het 'Vandaag woon ik in...'-spelletje van tante Peg. De gebeurtenissen van de laatste maanden – het telefoontje van Richard, het afschuwelijke weeë gevoel, de rit naar het vliegveld om het lichaam op te halen – vatte ze kort samen, en toen begon ze met het interessante deel: het pakket enveloppen dat ze had gekregen. Ze wachtte op Keiths overdonderde reactie, maar het enige wat hij zei was: 'Dat is eigenlijk bullshit, hè?'

'Wat?'

'Dat excuus dat ze kunstenares was. Als je het al een excuus kunt noemen.'

'Het is moeilijk te begrijpen als je haar niet hebt gekend,' zei ze. Ze deed haar uiterste best om luchtig te klinken.

'Ik hoef haar helemaal niet te kennen. Het is bullshit. Ik weet hoe bullshit eruitziet. Hoe meer je me over je tante vertelt, hoe minder aardig ik haar vind.'

Ginny voelde dat ze haar ogen een beetje samenkneep.

'Je hebt haar niet gekend,' zei ze.

'Je hebt me genoeg verteld. Ik vind het maar niets, wat ze je heeft aangedaan. Zo te horen was je als kind verzot op haar, en toen ging ze er op een dag zonder iets te zeggen vandoor. En de enige uitleg die ze bereid was te geven, heeft ze in een stel heel vreemde brieven opgeschreven.'

Opeens borrelde er woede in haar binnenste op. 'Zo is het niet,' zei ze. 'Al het interessante dat me ooit is overkomen, heb ik aan haar te danken. Zonder haar ben ik maar saai. Jij snapt dat niet, want jij hebt verhalen.'

'Iedereen heeft verhalen,' zei hij laatdunkend.

'Maar niet zulke goeie als jij. Lang niet zulke interessante. Jij bent een keer gearresteerd. Dat zou ik nooit voor elkaar krijgen, zelfs als ik het zou willen.'

'Daar hoef je anders helemaal niet zo veel moeite voor te doen,' zei hij. 'En trouwens, die arrestatie was het probleem niet.'

'Probleem?'

Hij roffelde met zijn vingers op het tafeltje, draaide zich toen om en keek haar even aan.

'Oké,' zei hij. 'Jij hebt me jouw verhaal verteld, dan kan ik jou net zo goed mijn verhaal vertellen, als we toch hier zitten. Toen ik zestien was, had ik een vriendin. Claire heette ze. Ik was nog erger dan David. Ik kon alleen maar aan haar denken. School kon me niets schelen, niets kon me iets schelen. Weet je waarom ik ben opgehouden met die rare fratsen? Omdat ik al mijn tijd met haar doorbracht.'

'Hoezo was dat een probleem?'

'Nou, omdat ze zwanger raakte,' zei hij, terwijl hij met zijn vinger tegen de rand van de tafel tikte. 'En dat was een beetje vervelend.'

Weten dat Keith seks had gehad, was tot daaraantoe. Dat had ze moeten aanvoelen, want ze hadden het over Keith, niet over haar, het blozende maagdje. Maar zwangerschap, dat was meer dan ze op dat moment kon verwerken. Dat wees op veel seks. Heel veel seks. Zo veel seks dat hij dit allemaal zonder blikken of blozen kon zeggen.

Ginny keek omlaag naar het tafeltje. Natuurlijk wist ze dat het weleens gebeurde, maar het overkwam haar en haar vrienden niet. Dat soort dingen gebeurde alleen op tv, of met mensen op school die ze niet kende. Langzaam maar zeker vonden dergelijke verhalen altijd hun weg naar het grote publiek, vaak maanden nadat het was gebeurd, zodat de betrokkenen een permanente air van volwassenheid kregen, dat zij nooit, maar dan ook nooit zou hebben. Ze mocht na tien uur 's avonds niet eens autorijden, omdat ze nog geen achttien was.

'Ben je nu geschokt?' vroeg hij met een vluchtige blik op haar. 'Dat soort dingen gebeuren nu eenmaal.'

'Weet ik,' zei ze snel. 'Wat is er gebeurd? Ik bedoel, heeft ze...?'

Ze onderbrak zichzelf. Wat zei ze nu weer?

'Ik ben geen vader, als je dat soms wilde weten,' zei hij.

Nou ja, inderdaad. Dat had ze inderdaad op zeer intelligente wijze geprobeerd te vragen. Daarom gebeurde er nooit iets in haar leven. Ze kon niet met de spanning omgaan. Ze kon niet eens een normaal, serieus gesprek voeren over seks zonder er een potje van te maken.

'Dat mag je best vragen,' zei hij. 'Ik heb aangeboden om van school te gaan en werk te zoeken. Ik zou het nog hebben gedaan ook. Maar ze wilde niet van school, dus besloot ze dat er maar één oplossing was. Ik kan het haar niet kwalijk nemen.'

Ze reden een tijdje in stilte verder. Allebei wiegden ze mee met de cadans van de trein en staarden ze naar een poster voor een campagne om eten in de trein te promoten. Er stond een foto op van een kale man die 'de varkensvleeskoning van het noorden' werd genoemd.

'Het probleem,' zei hij uiteindelijk, 'was dat het daarna nooit meer echt goed is gekomen. Ik deed mijn best om er nog iets van te maken, probeerde met haar te praten, maar ze wilde het er niet over hebben. Ze wilde gewoon verder met haar leven, en dat deed ze. Het duurde een paar maanden voor ik de hint begreep. Ik was er kapot van. Maar het is allemaal goed gekomen.'

Hij glimlachte stralend en legde zijn gevouwen handen op de tafel.

'Hoe bedoel je?'

'Ik bedoel dat je er iets van leert als je zoiets meemaakt. Naderhand ben ik een beetje losgeslagen. Ik heb een auto gestolen – gewoon om er een paar uurtjes mee te rijden, waarom weet ik ook niet. Zo mooi was-ie niet eens. Maar op een ochtend werd ik wakker en besefte dat ik eindexamen moest gaan doen, dat mijn leven nog niet voorbij was. Daarom heb ik mijn leven gebeterd en ben weer naar school gegaan. En tegenwoordig ben ik het aanstormende talent dat je voor je ziet. Het enige wat ik wil, is toneelstukken maken. Meer heb ik niet nodig. En zie je waar het allemaal toe heeft geleid? Zo heb ik jou bijvoorbeeld ontmoet, nietwaar?'

Hij sloeg zijn arm om haar schouders en schudde haar even vriendschappelijk heen en weer. Weer was het geen vreselijk romantisch gebaar. Het was net alsof hij wilde zeggen: 'Brave hond!' Maar er was meer. Iets wat betekende: 'Ik ben hier niet meer alleen omdat je me zomaar een berg geld hebt gegeven. Nu heb ik genoeg andere redenen.' Misschien had het iets te maken met het feit dat hij zijn arm daar de rest van de reis liet liggen en dat ze geen van beiden de behoefte voelden om nog iets te zeggen.

Een halfuur later stonden ze op het perron van Kings Cross te wachten op de metro.

'O, ik was het bijna vergeten,' zei hij, terwijl hij zijn hand in zijn jaszak stak. 'Ik heb iets voor je.'

Hij haalde een kleine, opwindbare Godzilla tevoorschijn, die er precies zo uitzag als die bij Mari thuis.

'Komt die uit Mari's huis?' vroeg ze.

'Yep.'

'Heb je hem gestolen?'

'Ik kon me niet bedwingen,' zei hij met een glimlach. 'Ik vond dat je een souvenir moest hebben.'

'Waarom dacht je dat ik iets zou willen hebben wat je hebt

gestolen?' Ginny deinsde onwillekeurig voor hem terug.

Keith deed een stap achteruit en de grijns verdween van zijn gezicht.

'Wacht eens even...'

'Misschien maakte het wel deel uit van een kunstwerk!'

'De kunstwereld zal nooit meer hetzelfde zijn.'

'Het doet er niet toe,' zei Ginny. 'Het is van haar. Het komt uit haar huis.'

'Ik schrijf haar wel een brief en geef mezelf aan,' zei hij met zijn handen omhoog. 'Ik heb de Godzilla meegenomen. Houd maar op met zoeken. Ik was het, maar het is de schuld van de maatschappij dat ik zo ben geworden.'

'Dit is niet grappig.'

'Dus ik heb een speeltje gejat,' zei hij terwijl hij de Godzilla tussen zijn vingers samenkneep. 'Het stelt niets voor.'

'Het stelt wél iets voor.'

'Ook goed.' Keith liep naar de rand van het perron en gooide het speeltje op het spoor. Toen liep hij terug.

'Waarom doe je dat nu weer?' vroeg Ginny.

'Jij wilde hem toch niet hebben?'

'Dat betekent niet dat je hem zomaar kunt weggooien,' zei ze.

'Sorry. Wat had ik dan moeten doen, hem terugbrengen?'

'Je had hem om te beginnen niet moeten meenemen!'

'Weet je wat ik wél ga nemen?' vroeg hij. 'De bus. Tot kijk.'

Hij was al tussen de mensen verdwenen voordat Ginny kans had gezien zich om te draaien en hem na te kijken.

Liefste Ginger,

Toen ik klein was, had ik een geïllustreerd boek over Romeinse mythologie. Ik was helemaal geobsedeerd door dat boek. Er stonden heel veel goden en godinnen in, en geloof het of niet, maar mijn favoriet was Vesta, de godin van huis en haard.

Vertel mij wat. Wie had dat kunnen denken? Ik bedoel, ik heb zelfs nooit een stofzuiger gehad. Maar het is waar. Van alle godinnen vond ik haar het leukst. Er zaten allerlei knappe jonge goden achter haar aan, maar ze legde een gelofte van eeuwige kuisheid af. Haar symbool, haar thuis, was de open haard. In feite is ze de godin van de centrale verwarming.

Vesta werd in elk dorp en in elk huis met vuur aanbeden. Ze was overal, en elke dag waren mensen afhankelijk van haar. In Rome werd een grote tempel gebouwd om haar te eren, en de priesteressen in haar tempel werden de Vestaalse maagden genoemd.

Het was best een tof baantje, Vestaalse maagd zijn. Je had maar één belangrijke taak: ervoor zorgen dat het eeuwige vuur in Vesta's ceremoniële open haard nooit doofde. Ze waren altijd met z'n zessen, dus ze konden ploegendiensten draaien. In ruil voor hun diensten werden ze als godinnen behandeld. Ze kregen een paleis om in te wonen en hadden evenveel rechten als mannen. Als er in Rome een crisis uitbrak en de nationale veiligheid in het geding was, werd hun om raad gevraagd. Ze kregen de beste plaatsen in het amfitheater, mensen organiseerden feestjes voor hen en ze werden overal geëerd en aanbeden.

Het enige nadeel? Dertig jaar celibaat. Dertig jaar samenwonen met andere Vestaalse maagden, het vuur opstoken en kruiswoordpuzzels maken. Als ze de maagdelijkheidsregel overtraden, werden ze naar een plaats gebracht die, vrij vertaald, 'De Kwade Velden' heette en via een trap omlaag gebracht naar een ondergronds kamertje met een bed en een lamp. Als ze eenmaal binnen waren, werd de deur dichtgedaan, de trap weggehaald en het hele zaakje onder een paar meter aarde begraven. Best wreed.

Maar goed, die Vestaalse maagden hadden het al met al goed voor elkaar. Het lijkt misschien droevig en eng, maar je moet goed beseffen hoeveel macht onafhankelijke vrouwen in de ogen van anderen altijd hebben gehad.

De overblijfselen van hun tempel bevinden zich in het Forum van Rome, en daar kun je ook hun standbeelden bekijken. (Het Forum zit in feite vast aan het Colosseum.) Ga ze opzoeken en breng hun een offer. Dat is je taak. Als je klaar bent, mag je de volgende envelop openmaken, midden in de tempel.

Wat je verblijfplaats betreft: mag ik je een gelegenheid aanraden waar ik toevallig tegenaan ben gelopen toen ik in Rome aankwam? Het is geen hotel of pension, maar gewoon het huis van iemand die een kamer verhuurt. De eigenaresse is ene Ortensia. Haar huis staat vlak bij het centraal station. Het adres staat achter op deze brief.

Zet 'm op!

je weggelopen tante

De weg naar Rome

Ginny had een hekel aan haar rugzak. Hij viel op de weeg-schaal steeds om omdat hij zo raar en bobbelig was, net een tumor. In het tl-licht van de incheckbalie leek hij paarser en groener dan ooit tevoren. En het kon niet anders of de talloze gespen (waarvan ze niet zeker wist of ze ze wel op de juiste manier had vastgemaakt, en ze vreesde dat het hele zaakje elk moment uit elkaar kon vallen) zouden ergens op de bagage-band blijven haken, waarna de band stil zou komen te staan en alle andere bagage zou worden tegengehouden. Vervolgens zou de vlucht vertraging oplopen, wat het hele schema op het vliegveld in de war zou sturen en in verschillende landen tot chaos zou leiden.

Bovendien had de nasaal klinkende incheckdame van Bud-getAir met iets te veel vermaak in haar stem aan Ginny gemeld: 'Vijf kilo te zwaar. Dat is dan veertig pond.' Ze was er duide-lijk niet blij mee toen Ginny aan een paar gespen trok en een van de buidels eraf haalde, zodat het gewicht van de rugzak precies binnen de grenzen viel.

Toen Ginny bij de incheckbalie wegliep, besefte ze dat het vliegtuig nooit veilig kon zijn als vijf kilo zo veel verschil maak-te. Ze had de vlucht die ochtend bovendien via internet geboekt voor de belachelijk lage prijs van 35 pond. (De maatschappij heette niet voor niets BudgetAir.)

Richard stond bij de traag ronddraaiende drankvitrine van een taxfreewinkel, met op zijn gezicht dezelfde verbijsterde uit-drukking als toen ze elkaar een paar dagen eerder hadden ont-moet.

'Ik moet maar eens gaan,' zei ze. 'Maar bedankt. Voor al-les.'

'Ik heb het gevoel dat je er nog maar net bent,' antwoordde hij, 'en dat we niet eens de kans hebben gehad om met elkaar te praten.'

'Dat is ook wel zo.'

'Ja.'

Ze begonnen weer tegen elkaar te knikken, en toen deed Richard een grote stap naar voren en omhelsde haar.

'Als je iets nodig hebt – maakt niet uit wat – dan bel je maar. Je weet waar je me kunt bereiken.'

'Ja, dat weet ik,' zei ze.

Verder viel er niets meer te zeggen, dus begaf Ginny zich voorzichtig achteruitlopend tussen de mensenmassa. Richard bleef staan wachten tot ze zich had omgedraaid en naar de gate liep, en toen ze bij de paspoortcontrole nog een keer achterom keek, stond hij er nog steeds.

Om de een of andere reden maakte die aanblik haar erg bedroefd, dus draaide ze zich met een ruk om en bleef met haar rug naar hem toe staan tot hij uit het zicht was verdwenen.

Toen ze bij BudgetAir zeiden dat het vliegtuig in Rome zou landen, bedoelden ze dat niet letterlijk. Wat ze bedoelden, was: 'Het vliegtuig zal in elk geval in Italië landen, dat durven we nog wel te garanderen. Voor de rest moet u het zelf maar uitzoeken.' Ginny bevond zich op een klein vliegveldje, duidelijk niet de belangrijkste luchthaven van Rome. Er waren slechts een paar kleine luchtvaartmaatschappijen vertegenwoordigd, en de meeste passagiers die uit de vliegtuigen stapten, dwaalden door de terminal rond met zo'n blik in hun ogen van: 'Waar ben ik in vredesnaam?'

Ze volgde het spoor van verdwaalde mensen, die door de deur de zwoele avondlucht in liepen. Op de stoep bleven ze staan en keken verward om zich heen. Eindelijk stopte er een heel Europees uitziende bus met een platte voorkant en een bord waarop stond: ROMA TERMINI, en iedereen stapte in. De chauffeur zei iets tegen haar in het Italiaans. Toen ze niet reageerde, stak hij tien vingers omhoog. Ze gaf hem tien euro. Dat bleek een goede gok, want hij gaf haar een kaartje en liet haar doorlopen.

Ginny had nooit durven dromen dat zo'n grote, hoekige bus zo snel kon rijden. Ze stoven over de snelweg en een aantal kleinere, bochtige wegen. Het was erg donker, en slechts af en toe zagen ze een huis of een benzinestation. Nu reden ze echter over de top van een heuvel, en in de diepte zag Ginny een warme, felle gloed die in de lucht hing. Kennelijk naderden ze de stad.

Toen ze Rome binnen reden, ging de bus zo snel dat alles in een wonderlijke veeg veranderde. De gebouwen waren kleurrijk en werden verlicht door veelkleurige lampjes. Er waren geplaveide straten en honderden cafés en restaurantjes. Ze ving een glimp op van een indrukwekkend grote fontein die bijna niet echt kon zijn: hij was ingebouwd in de façade van een vorstelijk gebouw en bestond uit reusachtige standbeelden van goden. Dan was er nog een gebouw dat rechtstreeks uit haar geschiedenisboek over het oude Rome afkomstig leek te zijn, met hoge pilaren en een koepeldak. Je verwachtte bijna mensen in toga's op de trappen. Er borrelde opwinding in haar op. Londen was geweldig, maar dit was van een geheel andere orde. Dit was pas reizen. Dit was een vreemd land, oud en cultureel.

Na nog een scherpe bocht kwamen ze uit op een ongelooflijk brede boulevard en werden de gebouwen praktischer en industriëler van uiterlijk. Voor een reusachtig gebouw van metaal en glas kwamen ze met een ruk tot stilstand. De chauffeur opende de deur en leunde zonder iets te zeggen achterover. Mensen hesen zich uit hun stoel en haalden hun bagage van het rek. Ginny tilde haar rugzak op haar schouders en stommelde naar buiten.

Ze slaagde erin een taxi aan te houden (ze dacht tenminste dat het een taxi was, en hij stopte inderdaad), en gaf de brief aan de chauffeur zodat hij het adres kon lezen. Een paar minuten later, nadat hij met ware doodsverachting door straten was gescheurd die maar net breed genoeg waren voor zijn auto, stopte de chauffeur bij een groen huisje. Op het stoepje bij de deur zaten drie katten elkaar te wassen, zonder aandacht te besteden aan de piepende en krakende machine die net voor hun neus tot stilstand was gekomen.

De vrouw die de deur opendeed, was zo te zien een jaar of vijftig. Ze had kort, zwart haar met elegante grijze lokken er-in, was zorgvuldig maar niet overdreven dik opgemaakt en droeg een leuke blouse en rok. Aan haar voeten had ze schoenen met hoge hakken. Ze nam Ginny mee naar binnen. Dit moest Ortensia zijn.

'Hallo,' zei Ginny.

'Hallo,' zei de vrouw.

Ze had een nerveuze blik in haar ogen waaruit Ginny op-maakte: meer Engels ken ik niet. Verder moet je niets zeggen, anders ga ik je alleen maar niet-begrijpend staan aanstaren.

Met zo'n grote rugzak kon je je bedoelingen echter overal kenbaar maken. De vrouw haalde een bedrukt kaartje tevoor-schijn waarop in het Engels en een aantal andere talen stond: 20 EURO PER NACHT. Ginny knikte en gaf haar het geld.

Ortensia bracht haar naar een piepklein kamertje op de twee-de verdieping. Zo te zien was het oorspronkelijk een kruip-ruimte geweest, want het plafond was zo laag dat je maar net rechtop kon staan, en het was net groot genoeg voor een veld-bed, een klein dressoir en haar rugzak. Een makelaar zou het hebben omschreven als 'charmant'. En eigenlijk was het ook best charmant. De muren waren vrolijk mintgroen geschilderd (niet dat trieste mintgroen dat ze zo vaak op de bakstenen mu-ren van gymlokalen kalken). Op elke beschikbare plaats stond een plant. In de winter zou het een erg aangename kamer zijn geweest, maar nu was het een vergaarbak voor alle opstijgen-de warmte. Ortensia duwde het raam open, en een loom bries-je kwam naar binnen, maakte één rondje door de kamer en ging weer naar huis.

Ortensia zei een paar woorden in het Italiaans – Ginny was er vrij zeker van dat ze 'welterusten' zei – en liep toen weer de smalle wenteltrap af. Ginny ging op het keurig opgemaakte bed zitten. Het was stil in het kamertje. Haar hart ging ervan bonzen. Opeens voelde ze zich heel, heel alleen. Ze dwong zichzelf er niet meer aan te denken, trok haar pyjama aan en bleef nog een hele tijd klaarwakker liggen luisteren naar het verkeer in de straten van Rome.

Virginia en de maagden

Zo heel af en toe herinnerde Ginny zich dat tante Peg niet alleen wispelturig en charmant was geweest, maar soms ook een beetje geschift. Ze was echt zo iemand die heel afwezig met haar pink in haar koffie ging zitten roeren en vervolgens verbaasd was als bleek dat ze zich had gebrand, of vergat haar auto op de handrem te zetten en vervolgens moest lachen als hij op een andere plaats bleek te staan dan waar ze hem had achtergelaten. Voorheen had ze dat soort dingen altijd wel grappig gevonden. Nu de enorme, oeroude stad Rome zich aan alle kanten om haar heen uitstrekte en ze niemand had om haar de weg te wijzen, begon Ginny zich echter af te vragen of de regel dat ze geen plattegrond mocht gebruiken wel zo prettig (of 'grappig') was. Aan haar richtingsgevoel zou ze hier niet veel hebben. Rome was domweg te groot en ze had niets wat ze als referentiepunt kon gebruiken. De stad was een en al afbrokkelende muren, torenhoge reclameborden, weidse pleinen en standbeelden.

Bovendien vond ze het doodeng om de straat over te steken, want iedereen reed als een stuntman in de achtervolgingsscène van een film. (Zelfs de nonnen, en daar waren er veel van.) Ginny beperkte zich tot één kant van de straat en stak alleen kruisingen over als ze een groep van minstens twintig man om zich heen had.

En het was warm. Veel warmer dan in Londen. Hier was het pas echt zomer.

Nadat ze voor haar gevoel een uur lang door telkens dezelfde krappe straatjes vol drogisterijen en videotheken had rondgelopen, zag ze een groep toeristen met vlaggen en allemaal dezelfde reistassen. Omdat ze niets anders kon bedenken, besloot ze achter hen aan te lopen in de hoop dat ze naar een of andere grote toeristenattractie op weg waren. Dan zou ze tenminste ergens zijn.

Onder het lopen vielen haar een paar dingen op. De toeristen droegen allemaal sandalen of sportschoenen en hadden zware tassen of kaarten bij zich. Ze hadden het zichtbaar warm en namen grote slokken uit flessen water en frisdrank. Ze zag zelfs een paar mensen die zichzelf met piepkleine batterijaangedreven ventilatortjes koelte toewuifden. Ze zagen er belachelijk uit, maar Ginny wist dat zij er zelf niet veel beter aan toe was. De kleine rugzak die ze had meegenomen, leek aan haar rug vastgekleefd te zitten. Haar vlechten hingen er in de hitte slapjes bij. De weinige make-up die ze had opgedaan, was door het zweet van haar gezicht gespoeld. Er ontwikkelde zich een lelijke zweetplek in het midden van haar beha, die zich elk moment naar haar shirt kon gaan verspreiden. En haar sportschoenen piepten nog luider dan gewoonlijk.

De Romeinse vrouwen schoten voorbij op Vespa-scooters, met hun designtasjes bij hun voeten. Ze droegen enorme, schitterende zonnebrillen. Ze rookten. Praatten in hun mobiele telefoon. Wierpen theatrale blikken achterom naar de mensen die hen passeerden. En wonderbaarlijk genoeg deden ze dat allemaal op schoenen met hoge hakken, heel sierlijk, zonder ook maar één keer te wankelen op de kinderkopjes of vast te blijven zitten in een scheur in de ongelijke stoep. Ze barstten niet in tranen uit van de blaren die zich ongetwijfeld vormden nu de broeierige hitte ervoor zorgde dat het leer van hun schoentjes zich vastzoog aan hun perfect gepedicuurde voeten.

Het viel Ginny zwaar om naar hen te kijken. Ze werd nerveus van hen.

Achter de toeristen aan liep ze naar een metrostation, maar daar verloor ze de groep uit het oog toen ze moeizaam een kaartje probeerde te bemachtigen. Ze liep naar een metrokaart toe en zag tot haar opluchting dat er een station was dat Coliseo heette, met een plaatje erbij van iets wat sprekend op een donut leek. Toen ze weer het oogverblindende Romeinse zonlicht in stapte, bevond ze zich in een drukke straat. Ze was ervan overtuigd dat ze iets verkeerd had gedaan, tot ze zich omdraaide en tot de ontdekking kwam dat het Colosseum pal achter haar stond. Het duurde een paar minuten voordat ze erin was geslaagd de straat over te steken.

Weer kwam ze een groep toeristen tegen, en achter hen aan liep ze onder een van de reusachtige poorten door die naar binnen leidden. Ze vond dat de gids er iets te veel genoegen in schepte om verhalen te vertellen over al het bloedvergieten dat het Colosseum in zijn tijd zo populair had gemaakt.

'... en bij de opening zijn er meer dan vijfduizend dieren afgeslacht!'

Een vrouw in een lang schort, dat zowel haar rug als haar buik bedekte, kwam op hen af gelopen. Ze opende de grote tas die ze bij zich had. Van het ene op het andere moment kwamen er uit alle hoeken en gaten katten aangesneld. Ze sprongen van verborgen richels hoog in de stenen muren. Ze kwamen ergens achter Ginny vandaan en verdrongen zich luid miauwend om de vrouw. Die glimlachte en haalde kartonnen afhaalbakjes vol felrood rauw vlees en pasta uit de tas. Ze zette ze op ongeveer een meter van elkaar op de grond. De katten zwermden eromheen. Ginny kon horen dat ze verwoed op hun eten kauwden en luid spinden. Toen ze een paar tellen later klaar waren met eten, gingen ze om de vrouw heen staan en wreven tegen haar enkels.

Ginny en de andere toeristen liepen door een gang naar het Romeinse Forum. Het Forum zag eruit als een heel oud gebouw waar iemand een reusachtige bowlingbal doorheen had laten rollen. Een paar zuilen waren weliswaar gebarsten en geërodeerd, maar stonden nog overeind. Van andere was niet veel meer over dan stompjes die uit de grond omhoogstaken, als eigenaardige stenen boomstronkjes. Oeroude gebouwen stonden aan de rotsachtige randen van andere, nog oudere maar inmiddels vergane gebouwen. De groep viel uiteen toen iedereen op eigen houtje op onderzoek uitging. Ginny besloot de gids te vragen waar ze naartoe moest – hij leek toch niet precies te weten wie er wel en niet in zijn groep thuishoorde.

'Ik ben op zoek naar de Vestaalse maagden,' zei ze. 'Ik heb begrepen dat hun tempel hier ergens is.'

'De maagden!' zei hij. Opgetogen stak hij zijn handen in de lucht. 'Kom maar met mij mee.'

Ze liepen door de doolhof van muren, paden en zuilen naar twee rechthoekige vijvers van steen, die duidelijk eeuwenoud waren, maar opnieuw waren gevuld met water en werden omringd door bloemen. Ernaast stond een rij standbeelden op hoge, vierkante sokkels. Het waren vrouwen, allen gehuld in soepele Romeinse gewaden. De meesten misten hun hoofd. Sommigen misten zelfs het grootste deel van hun lichaam. Er waren acht beelden, met ertussenin een paar lege sokkels. Aan de andere kant stonden alleen maar sokkels of resten van sokkels. De sokkels en beelden waren voor het publiek afgeschermd door middel van een lage ijzeren balustrade – het stelde niet veel voor, het was vooral een beleefd verzoek om nergens aan te komen.

'De maagden,' zei hij trots. 'Beeldschoon.'

Ginny leunde tegen de balustrade en bestudeerde de beelden. Ze kreeg weer dat bizarre schuldgevoel dat haar soms overviel als ze wist dat ze naar iets heel ouds en belangrijks stond te kijken en het gewoonweg niet... snapte. Het verhaal erachter was erg interessant, maar verder waren het gewoon een stel kapotte standbeelden.

Nu ze erover nadacht... Het was een beetje ergerlijk dat tante Peg haar erop uit had gestuurd om naar een stel beroemde maagden te gaan kijken. Wat wilde ze daar nu eigenlijk precies mee zeggen?

Om de een of andere reden moest ze opeens aan Keith denken. Heel omstandig haalde ze haar rugzak van haar schouders en groef erin. Ze had nog een paar eurobiljetten en -munten. Een kauwgompapiertje. De sleutel van haar kamer bij Ortensia. De volgende brief. Haar ooglapgevalletje van het vliegtuig. Niets wat haar een geschikt geschenk leek voor een stel oude standbeelden. Opeens vond ze het allemaal heel irritant. Het was veel te warm. De symboliek was net iets te nadrukkelijk. De hele onderneming sloeg nergens op.

Eindelijk vond ze onder in de rugzak een Amerikaans kwartje. Een betere offerande kon ze niet bedenken. Voorzichtig wierp ze het op het gras tussen twee standbeelden. Toen pakte ze de volgende brief. Er waren allemaal cakejes op geschilderd.

'Oké,' zei ze terwijl ze het zegel verbrak. 'Wat nu?'

6

Lieve Virginia,

Sorry. Als er ooit een geschikt
moment is geweest om je volledige
voornaam te gebruiken, dan is
dit het wel. Maagd, virgin,
Virginia... (Dit is een van die
dingen die helemaal niet grappig
zijn... nietwaar?)

Nou, daar sta je dan, op een grote
binnenplaats, waarschijnlijk omringd door
toeristen. (Maar jij bent geen toerist... Jij
bent op een missie!)

Maar goed, wat kunnen we hiervan leren,
Gin? Wat vertellen onze meiden, de Vestaalse
maagden, ons?

Nou, om te beginnen dat alleenstaande meiden
machtige meiden zijn. En in sommige situaties
kan een relatie slecht voor je zijn. Echter,
gezien het feit dat in elk geval een handvol
Vestaalse maagden alles op het spel heeft
gezet voor een beetje liefde, weten we ook...
dat het soms gewoon de moeite waard is.

Zie je, Gin, ik had een probleem. Ik klampte
me vast aan dat beeld van de alleenstaande
vrouw die een hoger doel dient, net als de
Vestaalse maagden. Naar mijn mening hadden
grote kunstenaars geen behoefte aan comfort.
Nee, ze wilden vechten, moederziel alleen — zij
tegen de rest van de wereld. Daarom wilde ik
ook vechten.

Als ik het ergens te zeer naar mijn zin
kreeg, vond ik dat ik weg moest. Zo ging ik
met alles in mijn leven om. Als ik een baantje
te leuk begon te vinden, nam ik ontslag. Als
een relatie te serieus werd, verbrak ik die. Ik
ben uit New York weggegaan omdat ik domweg te
tevreden was, omdat ik het gevoel had dat ik
was gestagneerd. Ik weet dat het moeilijk voor

je moet zijn geweest toen ik er zonder een woord te zeggen vandoor ging... maar zo heb ik het altijd gedaan. Altijd kneep ik er als een dief in de nacht tussenuit, misschien omdat ik ergens wel wist dat het een beetje verkeerd was wat ik deed.

Tegelijkertijd heb ik iets met Vesta... de liefde voor eigen huis en haard. Ergens wilde ik zo'n leven omarmen. Ik vind het een prachtig idee dat er een godin is die waakt over het vuur en die het huis zegent. Ik ben een vat vol tegenstrijdigheden.

Een van haar andere symbolen was brood, alles wat moest worden gebakken. Brood stond voor de Romeinen gelijk aan het leven. Op de feestdag van Vesta werden dieren omhangen met slingers van cake. Slingers van cake! (Wat moet je met van die stomme bloemen? Kun je je een betere slinger voorstellen dan een slinger van cake? Ik niet!) Dus laten we eens van dat idee uitgaan en Vesta eer bewijzen met cake. Maar dan doen we het wel zoals het in Rome hoort.

Ik wil dat je een Romeinse jongen uitnodigt om een stukje cake te gaan eten. (Of een meisje, als je voorkeur daarnaar uitgaat. Maar in dat geval wens ik je veel sterkte: Romeinse vrouwen zijn net tijgerinnen.) Ik ga er even van uit dat je een jongen gaat vragen, want Romeinse jongens zijn zo'n beetje de meest amusante wezens op de hele wereld. Je bent een mooie meid, Gin, en een Romeinse jongen zal je dat op zijn eigen unieke wijze vertellen.

Tenzij er opeens heel veel is veranderd, Gin, ga ik ervan uit dat dit niet zal meevallen voor je. Je was altijd al vreselijk verlegen. Dat zat me dwars, want ik was bang dat niemand ooit zou beseffen wat een geweldige meid mijn nichtje Virginia Blackstone was en is! Maar vrees niet. De Romeinen zullen je helpen. Als er één stad is waar je kunt leren hoe je een vreemde mee uitvraagt, dan is het Rome wel.

Zet 'm op, tijger. Laat het volk cake eten.

Liefs,

je verlnipte tante

Jongens en cake

Dit grensde aan een nachtmerriescenario. Dit was de druppel die de emmer deed overlopen.

Ze liep achter de groep toeristen aan het Colosseum uit en dwaalde bijna een uur met hen mee, broedend op dat nieuwste bevel. Ga naar oude maagden kijken! En nu een vreemde jongen mee uitvragen, verlegen, achterlijk kind dat je bent!

Ze wilde helemaal geen jongen mee uitvragen. Ze was inderdaad verlegen (en bedankt dat je erover bent begonnen). Bovendien zat de jongen die ze leuk vond in Londen, en hij dacht dat ze gestoord was. Zout. Wonde. Eindelijk herenigd.

De groep toeristen bleef staan op een groot plein met in het midden een menigte die zich om een fontein had verzameld. De fontein was duidelijk heel oud en had de vorm van een zinkend schip. Sommige mensen doopten hun handen in het water en dronken ervan. Opeens viel de toeristengroep uiteen, zodat Ginny weer aan zichzelf was overgeleverd.

Ze had dorst. Haar instinct schreeuwde haar toe dat ze geen water uit een fontein moest drinken, en al helemaal niet uit zo'n oude fontein, maar iedereen deed het. En trouwens, ze moest echt vocht binnen zien te krijgen. Ze haalde haar lege flesje uit haar rugzak, vond een plekje aan de rand van de fontein en stak voorzichtig de fles onder de straal. Ze nam een diepe teug en werd beloond met koud, vers water – water dat heel veilig smaakte. Ze liet haar fles leeglopen en vulde hem toen weer.

Toen ze zich omdraaide, kwamen er drie kleine kinderen op haar af gerend. Eigenaardig genoeg had een van hen een krant vast. Het waren allemaal meisjes en ze waren beeldschoon, met lang, heel donkerbruin haar en heldere groene ogen. Het langste meisje, dat niet veel ouder kon zijn dan een jaar of tien, liep recht op Ginny af en wapperde met de krant naar haar, zodat de bladzijden klapperden. Het volgende moment sprong een lange, vrij magere jongen die een reusachtig boek had zitten lezen overeind en kwam ook op haar af, terwijl hij in het Italiaans van alles schreeuwde. Onwillekeurig deed Ginny een stap achteruit, en ze hoorde een hoog kreetje. Ze voelde dat ze boven op een voetje ging staan en dat haar rugzak tegen een hulpeloos gezichtje stootte. Ze besefte dat de meisjes allemaal in een kring om haar heen renden, half dansend, en dat ze zich niet kon bewegen zonder een van hen met haar voeten of rugzak te raken. Daarom bleef ze stokstijf staan en verontschuldigde zich, hoewel ze besefte dat de kinderen waarschijnlijk geen woord verstonden van wat ze zei.

De jongen was nu bijna bij haar en zwaaide met het dikke boek met de harde kaft alsof hij zich een weg door ongeziene begroeiing wilde banen. De kleine krantenzwaaiers schrokken begrijpelijk genoeg nogal van die grote boekenzwaaier en renden meteen bij Ginny weg. De jongen bleef na een paar laatste struikelpassen vlak voor Ginny staan. Hij knikte tevreden.

Ginny durfde zich nog steeds niet te verroeren. Ze keek hem met grote ogen aan.

'Ze wilden iets van je stelen,' zei hij. Zijn Engels was goed verstaanbaar, maar gekleurd met een sterk Italiaans accent.

'Die kleine meisjes?' vroeg ze.

'Ja. Geloof me. Ik zie het zo vaak. Het zijn zigeuners.'

'Zigeuners?'

'Gaat het? Ze hebben toch niets meegenomen?'

Ginny stak haar hand naar achteren en betastte haar rugzak. Tot haar grote schrik was de rits halfopen. Ze trok hem helemaal open en controleerde de inhoud. Vreemd genoeg overtuigde ze zichzelf er eerst van of de brief er nog was en keek ze toen pas of ze haar geld nog had. Alles was er nog.

'Nee,' zei ze.

'Dat is mooi.' Hij knikte. 'Oké. Mooi.'

Hij liep terug naar zijn plekje op de rand van de fontein en ging zitten. Ginny staarde naar hem. Hij zag er niet Italiaans uit. Hij had goudgeel haar, bijna blond. Zijn ogen waren licht en heel smal.

Als ze toch een jongen op cake moest trakteren, dan kon ze daarvoor net zo goed degene uitkiezen die net had voorkomen dat ze zou worden beroofd – ook al had hij haar alleen maar wapperend met zijn tekstboek tegen een stel kleine kinderen beschermd.

Ze liep aarzelend op hem af. Hij keek op van zijn boek.

'Ik vroeg me af...' begon Ginny. 'Nou, om te beginnen: bedankt. Heb je zin om...'

Heb je zin om... was een te sterk begin. Het betekende: 'Heb je zin om dit samen met mij te doen?' Ze moest hem gewoon cake aanbieden. Iedereen hield immers van cake.

'Ik bedoel,' verbeterde ze zichzelf, 'heb je misschien zin in cake?'

'Cake?' herhaalde hij.

Hij knipperde langzaam met zijn ogen. Misschien naar Ginny, misschien tegen de zon. Misschien waren zijn oogleden gewoon zwaar. Toen keek hij naar het klaterende water van de fontein. Ginny volgde zijn blik. Zolang ze hem tijdens deze pijnlijke stilte maar niet aan hoefde te kijken, nu hij ongetwijfeld een manier probeerde te bedenken om tegen een raar Amerikaans meisje te zeggen dat ze hem met rust moest laten.

'Nee, niet in cake,' antwoordde hij uiteindelijk. 'Maar wel in koffie.'

Koffie, cake... Wat maakte het uit. Ze had een jongen mee uitgevraagd en de jongen had ja gezegd. Een wonder. Ze kon nog net voorkomen dat ze een vreugdesprongetje maakte.

Het was geen probleem om een cafeetje te vinden. Ze waren overal. De jongen liep naar de lange marmeren toonbank en draaide zich nonchalant om, klaar om Ginny's bestelling door te geven aan de ober met het stijve schort.

'Ik neem meestal een koffie verkeerd,' zei ze.

'Maar de koffie is hier juist heel lekker... Nee, je bedoelt koffie met warme melk. Wil je gaan zitten?'

Ze haalde een paar euro tevoorschijn.

'Het kost namelijk meer als je wilt zitten,' legde hij uit. 'Belachelijk, maar zo zijn wij Italianen nu eenmaal.'

Het kostte inderdaad véél meer. Ginny moest ongeveer tien dollar aan euro's overhandigen, en daarvoor kregen ze twee zeer bescheiden glazen kopjes in piepkleine metalen houdertjes met oortjes terug.

Ze gingen aan een van de marmeren tafels zitten en de jongen begon te praten. Hij heette Beppe. Hij was twintig. Hij was student en wilde later leraar worden. Hij had drie oudere zussen. Hij hield van auto's en een paar Britse bands waar Ginny nog nooit van had gehoord. Hij was naar Griekenland geweest om te surfen. Hij stelde niet veel vragen over Ginny, en daar kon ze prima mee leven.

'Het is warm,' zei hij. 'Je kunt eigenlijk beter een *gelato* nemen. Heb je er al een gehad?'

Hij was ontzet toen ze nee zei.

Hij stond op. 'Kom mee,' zei hij. 'We gaan. Dit is belachelijk.'

Beppe leidde haar door een paar straten, straten die steeds drukker en kleurrijker werden. Het waren straten waar eigenlijk geen motoren en scooters zouden moeten rondscheuren, maar dat gebeurde wel. Mensen stapten onverstoorbaar een halve tel voor de dodelijke klap uit de weg, iets wat soms gepaard ging met een veelzeggend woord of gebaar als ze daadwerkelijk waren geschampt.

Uiteindelijk bleef Beppe stilstaan bij een klein, onopvallend terrasje. Toen Ginny het bijbehorende winkeltje in liep, zag ze echter dat de afmetingen niet in verhouding stonden met het aanbod. In de vitrine stonden tientallen verschillende soorten kleurig ijs. De twee mannen achter de toonbank schepten met een soort platte lepel razendsnel reusachtige porties op. Beppe vertaalde de bordjes voor haar. Er waren gewone smaken, zoals aardbei en chocola, maar ook gember met kaneel, roomijs met wilde honing, drop. Er was ook ijs met rijstsmaak en minstens vijf of zes soorten met speciale likeuren of wijn.

'Hoe ben je hier gekomen?' vroeg hij terwijl ze een smaak uitzocht, namelijk aardbei (heel fantasieloos).

'Met... het vliegtuig?'

'Een georganiseerde reis,' zei hij, maar het was geen vraag. Hij leek heel zeker van zijn zaak.

'Nee hoor. Gewoon in mijn eentje.'

'Ben je echt helemaal alleen naar Rome gekomen? Zonder iemand anders? Zonder vrienden?'

'Ja. In mijn eentje.'

'Mijn zus woont in Trastevere,' zei hij opeens met een kort knikje naar Ginny, alsof ze moest weten wat dat betekende.

'Wat is dat?'

'Trastevere? Het mooiste deel van Rome,' zei hij. 'Mijn zus zal je vast aardig vinden. Jij zult mijn zus vast aardig vinden. Ga je ijsje maar halen, dan gaan we naar mijn zus.'

Beppes zus

Trastevere kón gewoon niet echt zijn. Het was net alsof Walt Disney zich met restjes pastelverf op een stukje Rome had gestort en de meest knusse, pittoreske wijk ooit had gecreëerd. Het stadsdeel leek bijna geheel uit verborgen hoekjes te bestaan. Er zaten luiken voor de ramen, er hingen kleurige plantenbakken aan de vensterbanken, en overal zag Ginny handgeschilderde borden die prachtig authentiek waren versleten. Tussen de gebouwen in hingen waslijnen met witte lakens en overhemden eraan. Overal om haar heen stonden mensen met fototoestellen de was te fotograferen.

'Zeg maar niets,' zei Beppe met een blik op de fotografen. 'Het is belachelijk. Waar is jouw camera? Dan kun je ook een foto maken.'

'Ik heb er geen.'

'Waarom heb je geen camera? Alle Amerikanen hebben een camera bij zich.'

'Weet ik niet,' loog ze. 'Ik heb er gewoon geen.'

Ze liepen een eindje verder en bleven uiteindelijk staan voor een gebouw met een oranje, platte gevel en een dak met een groen tintje. Beppe haalde een sleutelbos uit zijn zak en maakte een rijk bewerkte houten deur open.

Het interieur van het gebouw was heel anders dan de buitenkant deed vermoeden. Het leek erg op het oude flatgebouw van tante Peg in New York: een beschadigde tegelvloer, gedeukte metalen brievenbussen. Ze liep achter Beppe aan drie trappen op naar een bedompte, donkere gang. Hij ging haar voor naar een heel schoon, ietwat Spartaans ingericht appartement. Het bestond eigenlijk maar uit één kamer, die zorgvuldig met behulp van kamerschermen en meubels was onderverdeeld.

Beppe duwde een groot raam boven de keukentafel open, zodat ze een goed uitzicht hadden op de straat en de slaapkamer van de overbuurvrouw. Die lag languit op haar bed een tijdschrift te lezen. Door het open raam kwam een dikke bromvlieg naar binnen.

'Waar is je zus?' vroeg Ginny, terwijl ze om zich heen keek naar de lege kamer.

'Mijn zus is arts,' legde hij uit. 'Ze heeft het altijd vreselijk druk. Ik ben de student, de luilak van de familie.'

Dat was niet echt een antwoord, maar er stond een aantal familiefoto's in de kamer, en Beppe stond er vaak op. Naast hem stond een lang meisje met honingblond haar en een afwezige, boze uitdrukking op haar gezicht. Ze zag eruit alsof ze het druk had.

'Is dat je zus?' vroeg Ginny, wijzend naar het meisje.

'Ja. Ze is dokter... met baby's. Ik weet niet hoe dat in het Engels heet.'

Beppe maakte een kastje onder het aanrecht open en haalde er een fles wijn uit.

'Dit is Italië!' zei hij. 'Hier drinken we wijn. We nemen wel een glaasje terwijl we wachten.'

Hij schonk twee longdrinkglazen halfvol. Ginny nipte van haar wijn. Het was warm, en ze was opeens uitgeput, maar ook innig tevreden. Beppe sprak nu met zijn handen: hij raakte haar hand, haar schouder, haar haren aan. Haar huid was plakkerig. Ze keek door het raam naar het lichtblauwe gebouw aan de overkant van de straat. De vrouw was van het bed opgestaan en stond hen nu prutsend met haar luxaflex met een soort afwezige interesse op te nemen, alsof ze naar een oven keek waarin iets warm stond te worden.

'Waarom draag je je haren zo?' vroeg hij terwijl hij met een vies gezicht de vlecht omhooghield.

'Gewoon, omdat ik dat altijd doe.'

Hij trok het elastiekje los dat de vlecht bijeenhield, maar Ginny's haar was erg goed afgericht (en een beetje vochtig, zo vermoedde ze) en weigerde vanzelf los te gaan.

Haar eerste gedachte toen hij haar kuste, was dat het daar veel te warm voor was. Was er maar airco. En het was niet echt handig om over de stoelen heen geleund aan de keukentafel te zoenen. Maar het was in elk geval een kus. Een echte, onvervalste kus. Ze wist niet zo goed of ze Beppe wel wilde zoenen, maar om de een of andere reden leek het belangrijk – alsof het iets was wat ze domweg móést doen. Ze zat in Rome te zoenen met een Italiaanse jongen. Miriam zou trots op haar zijn, en Keith... Wie zou het zeggen? Misschien zou hij wel jaloers zijn.

Toen besefte ze dat ze van haar stoel gleed. Niet in de zin dat ze dreigde te vallen, meer in de zin dat Beppe haar op de grond liet zakken zodat ze meer ruimte zouden hebben om te vrijen.

Dat wilde ze absoluut niet.

'Er is een probleem,' zei hij. 'Wat is er?'

'Ik moet weg,' zei ze eenvoudig.

'Waarom?'

'Daarom,' zei ze. 'Ik moet gewoon weg.'

Ze kon aan de verbijsterde blik in zijn ogen zien dat hij geen kwaad in de zin had. Hij leek het gewoon niet te begrijpen.

'Waar is je zus?' vroeg ze.

Hij lachte, maar niet vals. Eerder alsof ze een beetje dom was. Dat vond ze irritant.

'Kom nou,' zei hij verzoenend. 'Ga zitten. Het spijt me. Ik had duidelijker moeten zijn. Mijn zus is niet zo vaak thuis.'

Daar ging hij weer. Nu gaf hij haar kleine kusjes in haar hals. Ginny draaide haar hoofd om zodat ze uit het raam kon kijken, maar de vrouw aan de overkant had kennelijk haar belangstelling verloren en was verdwenen.

Nu stak Beppe zijn hand uit naar de knoop van haar korte broek.

'Hoor eens,' zei ze terwijl ze hem wegduwde. 'Beppe...'

Hij probeerde nog steeds die knoop los te krijgen.

'Nee,' zei ze. Ze maakte aanstalten om overeind te komen. 'Niet doen.'

'Oké. Ik zal van de knoop afblijven.'

Ze stond op.

'Amerikanen,' zei hij smalend. 'Ze zijn ook allemaal hetzelfde.'

Haar hoofd bonsde toen ze de trap afrende. Op de straat piepten Ginny's sportschoenen meedogenloos. Dat kwam vast door de hoge vochtigheidsgraad. Het geluid galmde door het smalle straatje, zo luid dat de mensen op het terras van een eetcafé opkeken en haar aanstaarden.

Hoewel de wijn haar een beetje slaperig had gemaakt, had hij vreemd genoeg kennelijk ook haar richtingsgevoel aangescherpt. Zonder aarzelen liep ze recht naar het metrostation en slaagde erin weer bij het Colosseum te komen.

De poort stond nog open, dus ging Ginny naar binnen en zocht slingerend haar weg tussen de afbrokkelende beelden en halve muren, helemaal terug naar de overblijfselen van de stenen maagden.

Ze greep de knoop die Beppe had vastgepakt en rukte hem van haar broek. Ze boog over de balustrade heen die mensen bij de beelden vandaan moest houden en wierp de knoop tussen de twee best bewaard gebleven beelden op de grond.

'Alsjeblieft,' zei ze. 'Van de ene maagd voor de andere.'

Lieve Ginny,

Ga naar het treinstation. Je
gaat met de nachttrein naar
Parijs.

   Tenminste, ik zou het leuk
vinden als je met een nachttrein
naar Parijs ging. Ze zijn
namelijk erg mooi. Maar als het
dag is, neem je maar een dagtrein. Zolang je
maar op de trein stapt.

   Waarom Parijs? Voor Parijs heb je geen reden
nodig. Parijs is op zich reden genoeg.

   Blijf op de linkeroever, in Montparnasse. Dat
is misschien wel het beroemdste
kunstenaarskwartier ter wereld. *Iedereen* heeft
daar gewoond, gewerkt en opgetreden. Beeldend
kunstenaars, zoals Pablo Picasso, Dégas, Marc
Chagall, Man Ray, Marcel Duchamp en Salvador
Dalí. Maar ook schrijvers, zoals Hemingway,
Fitzgerald, James Joyce, Jean-Paul Sartre en
Gertrude Stein. En dan nog acteurs, musici,
dansers... Te veel om op te noemen. Laten we
het erop houden dat je, als je daar aan het
begin van de twintigste eeuw was gaan staan
en een steen in een willekeurige richting had
gegooid, een beroemd en ongelooflijk
invloedrijk iemand zou hebben geraakt die de
loop van de kunstgeschiedenis had veranderd.

   Niet dat je stenen naar zo iemand zou willen
gooien.

   Maar goed, ga nu maar.

   Ik sta erop dat je meteen naar het Louvre
gaat. Daar, in de juiste ambiance, mag je je
volgende opdracht lezen.

              Liefs,
          je weggelopen tante

De surfplankslapers

Ginny vernam dat er nog een paar plaatsen beschikbaar waren op de eerstvolgende trein naar Parijs toen ze daarnaar vroeg, tot grote verbazing van de man van wie ze haar kaartje kocht. Hij leek oprecht bezorgd omdat ze zo'n haast had en vroeg haar telkens waarom ze al zo snel uit Rome weg wilde.

Haar kamertje in de trein (de couchette) bood ruimte aan zes mensen. Een Duitse vrouw van middelbare leeftijd met kortgeknipt staalgrijs haar en een enorme voorraad sinaasappels leek de scepter te zwaaien. De sinaasappels at ze achter elkaar op. Als ze ze pelde, spoten er fonteintjes sinaasappelsap de lucht in, waardoor er een sterke citrusgeur in de coupé hing. Na elke sinaasappel veegde ze haar handen af aan de grijze stof op de leuningen van haar stoel. Iets aan die handeling verleende haar een air van gezag.

Onder haar bevel stonden drie slapende rugzaktoeristen en een man in een luchtig, lichtbruin pak, die een accent had dat Ginny absoluut niet kon plaatsen. In gedachten noemde ze hem meneer Ergens uit Europa. Meneer Ergens uit Europa hield zich de hele reis bezig met een kruiswoordpuzzel. Hij kuchte droog als de Duitse vrouw, die naast hem zat, weer een sinaasappel begon te pellen, en haalde vervolgens zijn arm van de leuning, zodat hij geen vruchtvlees op zijn mouw zou krijgen als ze haar handen afveegde.

Ginny pakte haar schrijfblok.

Lieve Miriam,

Gisteravond ben ik op de vlucht geslagen voor een Italiaanse jongen die telkens probeerde mijn broek uit te trekken. Nu zit ik in de trein naar Parijs. Ik weet niet meer precies wie ik ben, Mir. Ik dacht dat ik Ginny Blackstone was, maar nu schijn ik in het leven van iemand anders te zijn beland. Een cool iemand.

Nog even over dat gedoe met die Italiaanse jongen: het was niet echt sexy of eng. Eerder twijfelachtig. Hij heeft tegen me gelogen om me mee te lokken naar de flat van zijn zus, en ik ben meegegaan omdat ik een sufferd ben. Toen ben ik ontsnapt en heb ik noodgedwongen door Rome gezworven.

Dat doet me ergens aan denken. Ik lijd nog steeds vreselijk aan wat jij mijn 'griezelmagnetisme' noemt. Ik dacht even dat ik ervanaf was, maar het ziet ernaar uit dat enge jongens nog steeds overal om me heen uit het niets verschijnen. Ik trek ze aan. Ik ben de noordpool, en zij zijn ontdekkingsreizigers van de liefde.

Net als die jongen met de tas van Radio Shack, die altijd in het overdekte winkelcentrum van Livingston bij de dames-wc's op de eerste verdieping rondhangt en meermalen tegen me heeft gezegd dat ik sprekend op Angelina Jolie lijk. (Dat is ook wel zo. Als je tenminste mijn gezicht en mijn lichaam eerst helemaal verandert.)

En laten we Gabe Watkins niet vergeten, de brugklasser die vele pagina's van zijn blog aan mij heeft gewijd, met zijn mobieltje een foto van me heeft gemaakt en in Photoshop zijn gezicht en het mijne op een plaatje van Arwen en Aragorn uit *The Lord of the Rings* heeft geplakt.

Maar goed, jij zit in New Jersey, en ik scheur in een trein door Europa. Ik besef dat het misschien allemaal heel spannend klinkt, maar soms is het echt verschrikkelijk saai. Nu bijvoorbeeld. Ik heb in deze trein niets te doen (niet dat jou een brief schrijven 'niets' is). Ik ben al een paar dagen in mijn uppie, en dat vind ik niet altijd even fijn.

Goed, nu houd ik op met zeuren. Je weet dat ik je mis, en ik beloof dat ik je deze brief zo snel mogelijk opstuur.

Liefs,
Gin

Toen ze een paar uur onderweg waren, zei de vrouw in twee talen iets over naar bed gaan, en toen stond iedereen in de coupé op. Er werd verwoed met spullen heen en weer geschoven, met als gevolg dat Ginny de coupé uit werd geduwd. Toen ze weer binnenkwam, hingen er opeens zes grote planken aan de muren. Uit het feit dat meneer Ergens uit Europa languit op een van die planken lag, leidde Ginny af dat het bedden moesten voorstellen.

De anderen schuifelden onhandig rond terwijl ze probeerden te besluiten welk bed ze zouden nemen. Ginny kreeg een van de bovenste. Toen deed de Duitse vrouw het grote licht uit. Sommige anderen deden het kleine lampje aan dat bij hun bed in de muur was gemonteerd. Ginny had echter niets te lezen of te doen bij zich, dus ging ze in het donker naar het plafond liggen kijken.

Het zou haar met geen mogelijkheid lukken om te slapen op een wiebelende surfplank die uit de muur stak. Vooral omdat de Duitse vrouw steeds het raam openschoof en meneer Ergens uit Europa het vervolgens weer halfdicht deed. Een van de rugzaktoeristen mompelde iets in het Spaans, wees op het raam en zei in het Engels: 'Moet dat nou?' Ze deed het helemaal dicht en niemand protesteerde daartegen. De Duitse vrouw deed het echter gewoon weer open, en toen begon het hele gedoe van voren af aan.

Zomaar opeens was het ochtend. Iedereen liep met een tandenborstel de couchette in en uit. Ginny rolde op haar zij en zwaaide haar benen over de rand van haar surfplank. Met haar tenen tastte ze voorzichtig naar de grond. Toen ze zich in het

krappe, nogal donkere badkamertje had gewassen en terugkwam in de coupé, waren de bedden als bij toverslag weer in
stoelen veranderd. Een uur later stopte de trein en schuifelde
ze door een enorm treinstation naar een brede, zonnige boulevard in Parijs.

De straatnaambordjes waren kleine, blauwe schildjes op de
gevels van reusachtige witte gebouwen. Vaak werden ze aan
het oog onttrokken door boomtakken, gingen verloren tussen
een heel stel andere bordjes of waren domweg nergens te bekennen. De straten liepen alle kanten op. Toch was het niet zo
moeilijk om een jeugdherberg te vinden in de buurt die tante
Peg had aangeraden. Er was er een gevestigd in een heel groot
gebouw, een of ander oud ziekenhuis of klein paleis. De vrouw
met de stugge zwarte krullen die achter de balie zat, berispte
Ginny eerst uitgebreid omdat ze in het hoogseizoen niet had
gereserveerd en zei toen dat er geen eenpersoonskamers meer
waren, maar dat er in de slaapzalen nog ruimte genoeg was.

''Eb jee lakèns?' vroeg de vrouw.

'Nee...'

'Drie uiro.'

Ginny gaf de vrouw drie euro en kreeg er een grote, witte
zak van ruwe katoen voor terug.

'Dee zaal gaat zo op slot,' zei de vrouw. 'Maar jee mak jee
lakèns bovèn brengèn. Om zes uur mak jee teruukkomèn. Als
jee er om tien uur nok niet bènt, sluitèn wee jou buitèn. Iek
stel voor dat jee jee ruugzak meeneemt.'

Ginny liep met haar zak met lakens de trap op naar de kamer aan het eind van de gang, zoals haar was opgedragen. De
deur stond op een kier, en toen ze hem openduwde, zag ze een
heel grote zaal met smalle veldbedden in militaire stijl. De vloer
was betegeld met kleine stopverfkleurige tegeltjes, die nog nat
waren van een dweilbeurt met een sterk ruikend schoonmaak-
middel.

Haar kamergenoten waren bezig hun spullen voor die dag
bij elkaar te zoeken. Ze knikten Ginny gedag en begroetten
haar kort, waarna ze onderling verder praatten. Ginny kwam

al snel tot de conclusie dat ze bij elkaar op de middelbare school zaten, ergens in Minnesota. Dat wist ze omdat ze elkaar allemaal van naam kenden en praatten over de vakken die ze samen volgden. Ze zeiden ook steeds dingen als: 'O jeetje, kun je je voorstellen dat zoiets in Minnesota zou gebeuren?' Of: 'Zo een wil ik mee terug nemen naar Minnesota.'

Ginny legde haar zak met lakens op een van de lege veldbedden aan de andere kant van de zaal. Ze bleef even treuzelen en legde de zak netjes recht op het plastic lapje dat als matras moest dienen. Ze was niet zo goed in contacten leggen, maar vandaag had ze het gevoel dat ze het kon. Als de meisjes interesse toonden, kon ze een gesprek met hen aanknopen. Misschien konden ze dan samen ergens naartoe gaan.

Dat was het. Dat wilde ze graag: dat zij en de meisjes uit Minnesota samen Parijs zouden gaan verkennen. Ze konden gaan winkelen en even iets gaan drinken in een cafeetje. Waarschijnlijk wilden ze die avond wel naar een nachtclub. Ginny was nog nooit naar een nachtclub geweest, maar uit haar Franse tekstboek had ze begrepen dat je dat hoorde te doen in Europa. Dus als de meisjes uit Minnesota ernaartoe wilden, wilde zij wel mee. Binnen de kortste keren zouden ze beste vriendinnen zijn.

Maar de meisjes uit Minnesota hadden andere plannen en gliepten zonder haar de deur uit. Uit de luidspreker klonk een krassende stem die iedereen in het Frans en Engels toebeet dat je maar beter kon maken dat je wegkwam, anders was je nog niet jarig. Ginny pakte haar rugzak en ging in haar eentje op pad.

Eenmaal op straat kwam ze al snel langs een metrostation met zo'n befaamde toegangspoort van krullend groen metaal, en omdat ze niet wist wat ze anders moest doen, liep ze de trap af. De kaart van de Parijse metro was een grotere, ingewikkeldere tegenhanger van die van Londen. Het Louvre was echter gemakkelijk te vinden. De halte heette 'Louvre'. Dat was een duidelijke hint.

Dankzij haar Franse tekstboek wist ze dat het Louvre groot

was, maar niets had haar kunnen voorbereiden op de gigantische afmetingen ervan. Ze moest twee uur in de rij staan voor
ze via de ingang in de grote glazen piramide naar binnen kon.
In het Louvre heerste een veilige sfeer. Hier was het niet erg als
je toerist was. Overal waar ze keek stonden mensen de plattegrond te bestuderen, gidsen te lezen en in rugzakken te graven.
Hier viel ze voor de verandering eens niet uit de toon.

Er waren drie vleugels waaruit ze kon kiezen: Denon, Sully
en Richelieu. Ze gaf haar rugzak af bij de garderobe, koos op
de gok voor Sully en begaf zich in de krochten ervan. Ze stapte een replica van een stenen gewelf binnen, die leidde naar de
tentoonstelling over het oude Egypte. Een hele tijd slenterde ze
door de ene na de andere zaal vol mummies, grafversieringen
en hiërogliefen.

Ze had Egyptische spullen altijd al mooi gevonden, vooral
als kind, omdat ze ze samen met tante Peg in het Metropolitan Museum had gezien. Vaak hadden ze een spelletje gespeeld:
'Als je zelf mocht bepalen welke spullen je mocht meenemen
in het graf, wat zou je dan kiezen?'

Ginny's lijstje begon altijd met een opblaasboot. Ze had niet
eens een opblaasboot, maar ze zag hem zó voor zich: hij was
blauw met een gele streep en handvaten. In de hemel zoals zij
zich die voorstelde, zou ze er een nodig hebben, daarvan was
ze overtuigd.

De Egyptenaren hadden soms ook ontzettend bizarre spullen meegenomen naar het hiernamaals. Tafels in de vorm van
honden. Kleine blauwe poppetjes zo groot als je duim, die be-
dienden moesten voorstellen. Grote maskers met hun eigen gezicht erop.

Ze liep een hoek om en door een gang naar de Romeinse
beeldhouwkunst.

Opeens was ze weer op de plek waar ze was begonnen: het
stenen gewelf. Het leek onmogelijk, maar toch was het zo. Ze
probeerde het nog een keer, liet zich leiden door de bordjes en
de plattegronden. Deze keer kwam ze uit in de sarcofagenzaal.
Bij de derde poging leek het er even op dat ze eindelijk de Ro-

meinse beelden had gevonden, maar toen was ze opeens – boem
– weer terug bij de Oud-Egyptische urnen en grafversieringen.
Ze had het gevoel dat ze in een spiegelpaleis was beland.

Uiteindelijk moest ze achter een groep met een gids aan lopen om uit het land van de doden weg te komen. Achter hen
aan liep ze langs de Romeinse beelden. Kleine Franse kindjes
zaten onder de beelden van naakte mensen omhoog te staren.
Er was er niet één bij die er lachend naar zat te wijzen. Ze liep
door de eindeloze reeks onderling verbonden zalen tot ze een
bordje in het oog kreeg met een plaatje van de *Mona Lisa* en
een pijl erop. Achter die bordjes aan liep ze nog zeker tien andere toonzalen door.

Een van de vele dingen die Ginny aan haar relatie met tante Peg had overgehouden, was dat ze zich prettig voelde met
schilderijen om zich heen. Ginny had nooit beweerd dat ze veel
(of ook maar iets) wist over schilderkunst. Ze wist niet veel
over kunstgeschiedenis, technieken of waarom iedereen opeens
bezwijmde van extase als een of andere kunstenaar besloot alleen nog maar blauw te gebruiken... Tante Peg had uitgelegd
dat dergelijke dingen voor sommige mensen weliswaar belangrijk waren, maar dat je nooit moest vergeten dat het maar
schilderijen waren. Er was geen goede of verkeerde manier om
ernaar te kijken en er was helemaal geen reden om je erdoor
geïntimideerd te voelen.

Terwijl ze door de toonzalen liep, ontspande ze zich onwillekeurig. De ordelijkheid van het geheel had iets waardoor ze
zich in dit vreemde oord een beetje thuisvoelde. Hier had ze
het gevoel dat ze weliswaar ver van huis was, maar niet helemaal alleen.

Het scheen dat alle andere aanwezigen iets van hun omgeving wilden vastleggen. Overal zaten kunstenaars in opleiding
met hun reusachtige tekenblokken geconcentreerd naar een
kunstwerk of een plafondversiering te kijken terwijl ze probeerden datgene wat ze zagen na te tekenen. Er waren ook ontzettend veel mensen die foto's – of nog vreemder: video-opna-
men – van de schilderijen maakten.

Tante Peg zou zich rot lachen, dacht ze.

Ze was zo druk naar de andere mensen aan het kijken dat ze zonder het te beseffen pardoes de *Mona Lisa* voorbijliep. Die had ergens onzichtbaar te midden van de menigte gehangen. Ach, dit was ook wel een goed moment om even te stoppen. Ze ging midden in een Italiaanse toonzaal met dieprode muren op een bankje zitten en haalde de volgende brief uit haar rugzak.

Lieve Gin,

Nou, daar was ik dan, Gin, op weg
van het hartstochtelijke Rome naar
de koele romantiek van Parijs.
   Ik dacht dat ik mijn halve leven
al blut was geweest, maar eigenlijk
had ik altijd wel een beetje geld
gehad. Nu had ik echter het meeste
in Rome erdoorheen gejaagd.
   Er was een café waar ik bijna elke dag
langskwam. Daar kwam altijd de heerlijke geur
van vers brood vandaan, maar de tent zelf
leek op instorten te staan: de verf bladderde
af, de tafeltjes waren saai en lelijk. Het eten
was er echter heel goedkoop. Dus ik ben naar
binnen gegaan, en ik heb zelden in mijn leven
zo lekker gegeten. Er was verder niemand, dus
kwam de eigenaar bij me aan tafel zitten om te
praten. Hij vertelde me dat hij het café een
maand ging sluiten omdat iedereen in Frankrijk
tijdens de zomer een maand lang op vakantie
gaat. (Nog iets wat Frankrijk zo cool maakt.)
   Dat bracht me op een idee.
   In ruil voor wat geld om eten van te kopen
en een slaapplaats in het café, zou ik de boel
voor hem opknappen. Helemaal, van boven tot
onder. Voor de prijs van een paar croque-
monsieurs, een paar honderd koppen koffie en
een beetje verf kreeg hij dan een café vol
originele kunstwerken van een vrouw die daar
vierentwintig uur per dag, zeven dagen per
week zou verblijven. Het was zo'n mooi aanbod
dat hij er geen nee tegen kon zeggen. Dus zei
hij ja.
   De rest van de maand heb ik in het café
gewoond. Ik wist wat dekens en kussens te
bemachtigen en creëerde achter de bar een
slaapnestje voor mezelf. Mijn eten kocht ik op

de markt en mijn maaltijden maakte ik in het keukentje klaar. Het maakte niet uit of het dag of nacht was: ik ging gewoon schilderen als ik er zin in had. Ik sliep in de verflucht, dromend over mijn ontwerpen. De huid onder mijn linkerduimnagel werd permanent blauw. Van schorten die ik in een tweedehandswinkel had gevonden maakte ik gordijnen. Ik kocht oude borden, sloeg ze op het binnenplaatsje achter het café kapot en maakte een mozaïek van de scherven.

Mijn Parijs beperkte zich tot dat kleine cafeetje, een paar rommelwinkeltjes en af en toe een wandeling op straat, 's avonds of als het regende. Dat was Parijs zoals het hoorde te zijn, vond ik. Vergeet niet dat dit de stad is waar het gewone volk ooit het heft in handen nam en alle edelen en rijken onthoofdde. Men is hier trots op de arme kunstenaars die er in het verleden hebben gewoond, op alle schilders, schrijvers, dichters en zangers die de bars en café's beroemd hebben gemaakt. Denk maar aan Les Misérables! Denk maar aan Moulin Rouge! (Maar dan zonder de tbc.) Mari heeft in Parijs drie jaar op straat gewoond. Ze heeft gedanst in nachtclubs, geschilderd op de stoep en geslapen waar ze een plekje kon vinden.

Dit is dan ook het CHERCHE LE CAFÉ-project. (Ik weet dat je op school Frans hebt, maar even voor de zekerheid: dat betekent ZOEK HET CAFÉ.) Ik wil dat je op basis van wat ik je heb verteld en wat je over me weet op zoek gaat naar mijn café.

En natuurlijk moet je er, als je het hebt gevonden, namens mij iets heerlijks eten, want ik ben je liefhebbende...

uitgehongerde, kunstzinnige tante

Ginny keek op het horloge van de man die naast haar zat en zag dat het bijna zes uur was. Tijd om weg te gaan, besloot ze. Het woord *sortie*, dat op allerlei bordjes stond, betekende 'uitgang'. Dus volgde ze de bordjes.

Sortie, sortie, sortie...

Opeens stond ze bij een reusachtige multimediawinkel met in de etalage een uitstalling voor Star Wars: La Menace Fantôme.

Betekende *sortie* soms 'Deze kant op als je naar JarJar wilt'? En waarom zat er in het Louvre zo'n grote multimediazaak?

Nadat ze nog een minuut of tien zonder succes had geprobeerd te ontsnappen, wist Ginny eindelijk de uitgang te vinden. Aangezien ze pal naast de Seine uitkwam en er tientallen bruggen naar de overkant leidden, besloot ze over te steken. Aan de overkant was alles kleiner en krapper. Dit was de linkeroever, wist ze. Het studentenkwartier. Ze keek even om zich heen, draaide zich om en liep over de brug weer terug.

Elke foto die ze ooit van Parijs had gezien, had een belofte ingehouden, en de stad maakte de verwachtingen meer dan waar. Overal liepen mensen met lange baguettes. Stelletjes liepen hand in hand door straten zo smal als asperges. Al snel stond er een ronde maan aan de donkerblauwe hemel en begonnen de duizenden lichtjes van de Eiffeltoren te fonkelen. Het was warm, en toen Ginny leunend tegen de balustrade van Pont Neuf stond te kijken naar een dinerboot die onder haar door over de Seine gleed, bedacht ze dat dit een volmaakte Parijse avond was. Zelf voelde ze zich echter niet zo volmaakt. Ze voelde zich alleen, en ze wist niet wat ze moest doen, behalve teruggaan naar de jeugdherberg.

Les petits chiens

Die avond zat Ginny in de grote, verlaten foyer van de jeugdherberg aan de lange tafel met het samenraapsel van houten
stoelen, waar de computers stonden. Alle stoelen waren bezet.
Mensen van over de hele wereld zaten geconcentreerd voorovergebogen e-mails van thuis te lezen en epische weblogs samen te stellen, zich niet bewust van elkaars aanwezigheid.

Er hing een geur van oude sigarettenrook, doordat de vrouw
achter de balie gewend was de ene sigaret na de andere op te
steken. Aan de muur boven Ginny's hoofd hingen oude we-
reldkaarten met overal stervormige littekentjes en gaatjes op
de plaatsen waar ze keer op keer waren dubbelgevouwen. Witte sterretjes verspreid over de hele wereld, in de oceanen. Gaten in China, Brazilië en Bulgarije. Er zat zelfs een piepklein
gaatje in New Jersey, alleen zat het een stuk dichter bij de oceaan dan waar zij woonde.

Voor het eerst sinds ze was vertrokken, had ze toegang tot
de buitenwereld. Ze kon een berichtje sturen aan wie ze maar
wilde – als ze tenminste besloot de regels te overtreden. Het
enige wat haar ervan weerhield meteen contact te zoeken met
Miriam was een flinterdun reepje wilskracht. Geen elektronische communicatie met Amerika. Dat was helder en duidelijk.

Maar er stond niets in de regels over Engeland. En hoewel
ze Keiths e-mailadres niet had, vermoedde ze dat het niet onmogelijk zou zijn om het te achterhalen. Ze was goed in dingen opzoeken. Ze was een internetbloedhond.

Keith vinden bleek absurd gemakkelijk te zijn. Via de website van Goldsmiths had ze hem binnen een mum van tijd op-
gespoord. Het kostte haar echter heel wat meer moeite om te

bedenken wat ze in haar e-mailtje tegen hem wilde zeggen. Sterker nog: er gingen een uur en ongeveer zesentwintig versies overheen, en uiteindelijk leidden haar inspanningen tot het volgende.

'Hé, ik wilde gewoon even hoi zeggen. Ik zit nu in Parijs.'

Zodra ze het had verzonden, las ze het nog een keer na, en meteen kreeg ze spijt van dat 'hé'. Waarom: 'Hé, ik wilde gewoon even hoi zeggen'? Waarom niet gewoon 'hoi'? Waarom had ze niet gezegd dat ze hem miste? Waarom kon ze niet iets liefs, slims en verleidelijks zeggen? Niemand zou op zo'n berichtje reageren, want het was te nietszeggend.

Alleen antwoordde hij wel. Er verscheen een antwoord in haar inbox. Er stond alleen maar in:

'Parijs, hè? Waar precies?'

Ze greep haar vingers vast en streelde ze om het beven tegen te gaan. Dus de eenvoudige benadering had gewerkt. Mooi. Dan kon ze het nu ook simpel houden.

'De UFC-jeugdherberg in Montparnasse.'

Moest ze hem vragen of hij nog boos was? Of was zij degene die boos moest zijn? Misschien was het maar beter om helemaal niet over boosheid te beginnen. Zich te beperken tot het verstrekken van informatie.

Een halfuur lang bleef ze wachten. Geen antwoord deze keer. Het was weer gedaan met de spanning voor die avond.

Ginny liep de trap op naar de slaapzaal, waar haar kamergenoten weer eens op een kluitje bij elkaar aan hun kant van de kamer zaten. Ze glimlachten naar haar toen ze binnenkwam, en hoewel ze kon merken dat ze niets tegen haar hadden, was ook duidelijk dat ze hadden gehoopt dat ze niet terug zou komen. En dat was begrijpelijk. Ze waren met elkaar bevriend. Ze wilden een beetje privacy. Zo snel en stilletjes als ze kon, raapte ze haar spullen bij elkaar, kroop op het luid krakende veldbed en probeerde te slapen.

Ginny schoot recht overeind in bed toen om halfacht via de luidspreker werd aangekondigd dat er slechts tot halfnegen kon worden ontbeten en dat iedereen werd geacht stipt om negen uur de deur uit te zijn.

De Minnesota-afvaardiging was ook net wakker. Ze haalden van alles uit hun rugzakken (veel coolere, modieuzere rugzakken dan haar paars-groene gedrocht). Zij had helemaal niets bij zich, besefte ze. Alleen shampoo en tandpasta. Geen zeep dus, en geen handdoek. Daar had ze geen moment aan gedacht. Ze rommelde in haar rugzak, op zoek naar iets wat ze als handdoek kon gebruiken, en besloot uiteindelijk haar fleecetrui te gebruiken.

De badkamer was klein, met drie douchehokjes en vier wastafels. Het was allemaal redelijk schoon, maar ergens uit de krochten van het gebouw kwam een sterke rottingslucht. Ze ging samen met de anderen in de rij staan, leunend tegen de muur. Het viel haar op dat iedereen haar via de spiegel stond aan te staren. Hun ogen schoten heen en weer tussen de handdoek annex fleecetrui en de afbeelding op haar schouder. Voor het eerst in haar leven voelde Ginny zich een tikje gevaarlijker dan de mensen om haar heen. Het was een interessante gewaarwording, maar ze vermoedde dat ze er meer van zou hebben genoten als er een kern van waarheid in had gescholen.

Ze had geen schone kleren meer. Alles was vies, vochtig en gekreukt. Waarom ze er niet aan had gedacht om ze bij Richard thuis te wassen, was haar ook een raadsel. Ze moest iets zien te vinden waar ze haar vochtige lijf nog wel een keer in kon persen.

Toen ze eenmaal op straat stond, besefte Ginny dat ze geen idee had waar ze moest beginnen. Na een korte wandeling door de omgeving was al snel duidelijk dat het in Parijs stikte van de cafeetjes. Overal cafeetjes. Cafeetjes, slingerende straten en brede boulevards. Een uur lang liep ze rondjes door de buurt, tuurde door etalageruiten naar uitstallingen van brood en gebak, stapte over kleine hondjes heen, ontweek mensen die geconcentreerd in hun mobieltje praatten en bereikte in feite helemaal niets. Parijs was natuurlijk prachtig en zonnig, maar haar rugzak was erg zwaar en ze had een onmogelijke taak te verrichten.

Ginny besloot een gok te nemen. Ze liep terug naar de jeugd-herberg en probeerde de zware, zwarte smeedijzeren deur. Die was open. Ergens in een gang boven haar hoofd klonk het ka-baal van een of ander krachtig schoonmaakapparaat, dat weer-kaatste tegen de marmeren vloer van de foyer. Het stonk naar verse sigarettenrook.

Voorzichtig liep ze op de balie af, waar ze weer dezelfde vrouw aantrof. (Ginny begon zich af te vragen of ze ooit sliep.) Ze zat iets uit een grote blauwe kom te drinken en keek naar een in het Frans nagesynchroniseerde aflevering van Oprah. Zodra ze Ginny zag, drukte ze boos haar sigaret uit.

''Et ies na neken uur!' riep ze uit. 'Jee 'oort 'ier niet te zijn!'

'Ik heb een vraagje,' begon Ginny.

'Nee. Wij 'ebben rekels 'ier.'

'Maar ik ben op zoek naar een café,' zei Ginny.

'Iek ben keen reis-kids!' Vooral dat 'reis' klonk erg langge-rekt en verontwaardigd. Raaaaaais.

'Nee, u begrijpt het verkeerd,' zei Ginny snel. 'Mijn tante was schilderes. Zij heeft het opgeknapt.'

Dat bracht de vrouw een beetje tot bedaren. Ze richtte haar aandacht weer op Oprah.

''Oe 'eet 'et?' vroeg ze.

'Weet ik niet,' zei Ginny.

'Duus zee 'eeft jee niet verteld 'oe 'et 'eet?'

Ginny besloot daar niet op in te gaan.

'De muren van dat cafeetje zijn allemaal beschilderd,' zei ze. 'En ze zei dat het hier vlakbij was.'

'Er zijn 'ier 'eel veel café's. Iek kan jee niet vertellen waar iets ies als jee niet weet 'oe 'et 'eet.'

'Oké,' zei Ginny. Ze schuifelde naar de deur. 'Bedankt.'

'Wakt, wakt...' De vrouw gebaarde dat Ginny terug moest komen. Ze nam drie telefoontjes aan en stak een sigaret op voor ze uitlegde waarom ze haar terug had geroepen.

'Oké. Ka naar Michel Pienette. 'Ij verkoopt kroente op dee

markt. 'Ij verkoopt aan koks. 'Ij kent alle café's. Lek diet aan 'em uit.'

Ze schreef de naam in grote blokletters op een visitekaartje van de jeugdherberg: MICHEL PIENETTE.

De vrouw had haar niet uitgelegd hoe ze op de markt moest komen, maar die bleek niet moeilijk te vinden. Ginny kon hem in de verte al zien toen ze de straat op stapte. Dit was weer zo'n moment dat voldeed aan alle verwachtingen die haar Franse tekstboek had geschapen. Overal stonden tafels met grote stapels fruit en groente, reusachtige stokbroden en terracotta-potten vol verse olijven. Het was bijna té tekstboekachtig.

Nadat ze hier en daar met het kaartje had gezwaaid, vond Ginny Michel Pienette achter een piramide van tomaten. Hij rookte een dikke sigaar en schreeuwde tegen een klant. Er stond een korte rij mensen te wachten op dezelfde onbeschofte behandeling. Ginny ging achter een man in een wit kokshemd staan.

'Pardon,' zei ze tegen de kok. 'Spreekt u Engels?'

'Een beetje.'

'En...' Ze wees naar de man met de sigaar.

'Michel? Nee. En hij is gemeen,' zei hij tegen Ginny. 'Maar zijn waren zijn goed. Wat wil je van hem?'

'Ik wil hem iets vragen over een café,' zei Ginny. 'Ik weet alleen niet hoe het heet.'

'Michel ongetwijfeld wel. Ik zal het voor je vragen. Beschrijf het eens.'

'Heel veel kleuren,' zei Ginny. 'Waarschijnlijk een collage. Misschien gemaakt van... afval?'

'Afval?'

'Nou ja, een soort... afval.'

'Ik zal het hem vragen.'

De kok wachtte geduldig op zijn beurt en vertaalde toen Ginny's vraag voor haar. Michel Pienette knikte verwoed en kauwde op zijn sigaar.

'Les petits chiens,' gromde hij. 'Les petits chiens.'

Dat betekende 'de hondjes', wist Ginny, maar dat sloeg nergens op. De kok leek dat ook te vinden, dus stelde hij meneer Pienette nog een vraag. Dat had een kleine woede-uitbarsting tot gevolg. Meneer Pienette draaide zich met een ruk om, griste een krop sla uit de handen van een andere klant en schreeuwde iets over zijn schouder.

'Hij zegt dat het café "De hondjes" heet,' zei de kok. 'Volgens mij is hij een beetje geïrriteerd. Misschien krijg ik nu geen aubergine meer van hem.'

'Weet hij waar het is?'

Dat wist hij inderdaad, maar de vraag maakte hem zichtbaar nog bozer. Hij wees met een stompe vinger naar een steegje aan de linkerkant van de markt.

'Die kant op,' zei ze kok. 'Maar alstublieft... Ik heb echt aubergine nodig.'

'Bedankt,' zei Ginny, die snel achteruit wegliep. 'Sorry.'

Het steegje zag er niet veelbelovend uit. Het was smal en de gebouwen die er stonden waren allemaal gebroken wit met kleine portiekjes zonder bordjes of huisnummers. Niets wat eruitzag als een restaurant. Ook kwamen er steeds motoren haar achterop, die over de stoep reden om de geparkeerde auto's te omzeilen. Het leek er dus op dat deze route weleens haar dood kon worden. Misschien was dat ook wel Michel Pienettes bedoeling geweest.

Na een tijdje werd de weg echter iets breder en zag ze een paar boetiekjes en piepkleine bakkerijtjes. En daar was het, een gebouwtje dat zo klein was dat er nooit meer dan vier tafeltjes in zouden passen. Er stond een reusachtige boom voor die het bijna geheel aan het zicht onttrok. Aan de gordijnen van keukenschortjes kon ze echter zien dat het de plek was die ze zocht. De etalages hingen vol met ingelijste knipsels uit tijdschriften, soms met plaatjes. Binnen leek het helemaal leeg en er brandde geen licht. Toch probeerde ze de deur. Die was open.

Zodra ze binnen was, werd haar duidelijk waarom het 'De hondjes' heette. De muren waren geheel gewijd aan de kleine hondjes van Parijs. Tante Peg had een wilde collage gemaakt van honderden fotootjes uit tijdschriften en vervolgens met dik-

ke klodders zwarte en felroze verf om de plaatjes heen geschilderd. Ook had ze in het wit een paar krankzinnige tekeningen van poedels gemaakt. Elke tafel en elke stoel was in een
andere kleurencombinatie geschilderd. Zo te zien had ze wel
honderd verschillende tinten gebruikt. Paars met zonnebloem-
geel. Lindegroen met zuurstokroze. Vuurrood met marineblauw. Ze zag zelfs dat rare Romeinse oranje gecombineerd
met diep bordeauxrood.

Het hoofd van een man piepte boven de bar uit. Ginny
schrok ervan. Wat hij haar in het Frans toebeet, klonk vagelijk
bekend, maar hij praatte te snel en met een te sterk accent, dus
ze kon hem niet verstaan. Ze schudde hulpeloos haar hoofd.

'De keuken is nog niet open,' zei hij in het Engels. Vreemd
dat iedereen hier wist dat je dat moest doen. Verbazingwekkend dat ze het allemaal nog konden ook.

'O... Dat geeft niet.'

'Pas tegen het avondeten. En je moet reserveren. Vanavond
is onmogelijk. Misschien volgende week.'

'Daar gaat het niet om,' zei Ginny. 'Ik kwam de schilderingen bekijken.'

'Moet je een opstel schrijven?'

'Mijn tante heeft ze gemaakt.'

Er werd een beetje meer van de man zichtbaar. Nu kon ze
zijn schouders zien. 'Je tante?' vroeg hij.

Ginny knikte.

Hoofd, schouders, het grootste deel van de borst en de armen tot aan de ellebogen. Hij droeg een versleten paars T-shirt
met een blauwwit schort er los overheen.

'Margaret is jouw tante?'

'Ja.'

Opeens was alles anders. De man kwam in zijn geheel tevoorschijn en voor ze het wist, werd Ginny op een stoel ge-
plant.

'Ik ben Paul!' zei de man terwijl hij weer achter de bar stapte om een kleine tumbler en een fles met een lichtgele likeur te
pakken. 'Geweldig! Ik zal iets te drinken voor je inschenken.'

Na die avond in de pub had Ginny eigenlijk geen trek in alcohol.

'Ik drink niet echt...' begon ze.

'Nee, nee. Lillet. Heel lekker. Licht. Zalige smaak. En een klein stukje sinaasappel.'

Hij sprak het uit als 'sinaasappèl'. Plons. Er ging een stukje sinaasappelschil in het glas. Hij schoof het naar Ginny toe en keek gespannen toe terwijl ze voorzichtig een slokje nam. Het was inderdaad lekker. Het smaakte een beetje naar bloemen.

'Ik zal eerlijk tegen je zijn,' zei hij terwijl hij voor zichzelf ook wat Lillet inschonk en tegenover haar ging zitten. 'Ik wist niet zo goed wat ik van je tante moest denken. Ze liet me zien wat ze had getekend. Hondjes. Maar wacht! Iets te eten. Kom mee.'

Hij gebaarde dat Ginny mee moest komen naar de keuken, een ruimte zo groot als een inloopkast achter de bar. Daar legde hij uit, terwijl hij een bord vulde met allerlei spullen uit de koelkast – koude kip, sla, kaasjes – dat het nauwelijks winstgevende restaurantje met vier tafels dankzij de bizarre schilderingen van tante Peg was veranderd in een zeer gewild bistrootje met een lange wachtlijst.

'Het was erg vreemd,' zei hij. 'Een vrouw die ik niet kende, bood aan in mijn restaurant te logeren. Te slapen. En het op te knappen, te bedekken met plaatjes van honden. Ik had haar eruit moeten gooien.'

'Waarom hebt u dat niet gedaan?' vroeg Ginny.

'Waarom?' herhaalde hij. Hij keek om zich heen naar de vrolijk versierde muren. 'Ik weet niet goed waarom. Omdat ze zo zeker leek van haar zaak, denk ik. Ze had iets. Vrouwelijke charme... Dat moet je niet verkeerd opvatten, hoor. Ze had een visie, en als ze iets zei, geloofde je haar. En ze had gelijk. Ze was een vreemde vrouw, maar ze had gelijk.'

Een vreemde vrouw, maar ze had gelijk. Dat was misschien wel de beste omschrijving van haar tante die Ginny ooit had gehoord.

Toen ze vol zat van de lunch en de appeltaart met slagroom

die hij haar had voorgezet, werd Ginny beleefd de deur uit gewerkt, zodat Paul voorbereidingen kon treffen voor de avond.

'Zeg je tante gedag van me!' zei hij vrolijk. 'En kom nog eens
terug! Kom vaak terug!'

'Zal ik doen,' zei Ginny, maar haar glimlach stierf weg. Het
had geen zin om hem de waarheid over tante Peg te vertellen.
In zijn gedachten was ze nog springlevend, en ze vond dat dat
voor een paar mensen best zo mocht blijven.

Een beetje gedeprimeerd liep ze terug naar de jeugdherberg.
Ze ergerde zich rot aan de drukte zo laat op de middag en aan
het gewicht van haar rugzak. Even kon Parijs haar niet beko-
ren. De stad was groot, luidruchtig en druk en er stond veel te
veel in. De straten waren te smal. De mensen met mobieltjes
aan hun oor letten niet op.

Iets aan Pauls reactie had haar stemming volkomen verpest.
Ze wilde terug naar haar eenzame, krakende veldbed in de zaal
waar de andere meisjes haar negeerden. Ze wilde terug om een
potje te janken. Gewoon de hele avond blijven liggen en niets-
doen. Ze kon toch niets doen. Ze woonde hier niet. Ze kende
niemand.

Ze duwde de smeedijzeren deur ruw open en merkte het nauwelijks toen de vrouw achter de balie haar een glimlachje
schonk. Sterker nog, het duurde even tot ze de stem herkende
van degene die haar vanuit de richting van de computers iets
toeriep.

'Hé!' zei hij. 'Mafkees!'

Een avondje stappen

'Waar heb jij gezeten?' vroeg Keith ter begroeting. 'Ik heb wel twee uur buiten zitten wachten. Heb je enig idee hoeveel honden hebben geprobeerd om... Laat maar.'

Ginny was zo verbijsterd dat ze geen woord kon uitbrengen. Hij was het echt. Lang, mager, het rossige haar dat op de een of andere manier slordig en perfect tegelijk was, de fietshandschoenen. Hij rook alleen iets muffer dan gewoonlijk.

'Hallo, Keith,' zei hij haar voor. 'Hoe gaat het met je? O, ik mag niet klagen.'

'Wat doe jij hier? Ik bedoel...'

'Een van de kaartjes die je voor de voorstelling hebt gekocht,' zei hij. 'Ik ben ermee naar het bureau voor uitwisselingsstudenten gegaan, weet je nog? Een Franse toneelstudent heeft er een meegenomen. Op hun school wordt een festival georganiseerd en een van de voorstellingen verviel, dus hebben ze ons op het laatste moment gevraagd in te vallen. We hebben de set ingepakt en zijn hiernaartoe gereden. Kennelijk wil het lot ons bij elkaar brengen.'

'O.'

Ze wiebelde van de ene voet op de andere. Knipperde met haar ogen. Hij was er nog steeds.

'Ik kan merken dat je onder de indruk bent,' zei hij. 'Wat moet je hier eigenlijk doen van je gekke tante?'

'Ik moest naar een eetcafeetje,' zei ze.

'Een eetcafeetje? Zo mag ik het horen. Ik verga van de honger. We hoeven vanavond niet op te treden. Misschien kunnen we een hapje gaan eten. Tenzij je het natuurlijk te druk hebt met alle overgebleven plaatsen in het operahuis van Parijs opkopen.'

Hoewel ze net het grootste deel van de middag etend had doorgebracht, zei Ginny daar geen nee tegen. Een paar uur lang wandelden zij en Keith door de stad. Bij zo'n beetje elk crêpe-kraampje dat hij tegenkwam (en dat waren er nogal wat) bleef hij staan om een grote, kliederige, gevouwen crêpe met alles erop en eraan te bestellen. Hij at onder het lopen en vertelde haar alles over de voorstelling. Het belangrijkste nieuws ging echter over David en Fiona, die tot zijn grote teleurstelling weer bij elkaar waren.

Het werd donker en ze liepen nog steeds, langs de rivier met zijn vele bruggen. Ze staken over naar een wijkje waar ze naar de mensen op de terrassen van de restaurants keken, die hen op hun beurt bekeken. Toen kwamen ze langs een hoog hek en iets wat eruitzag als een park.

'Een kerkhof!' zei Keith. 'Een kerkhof!'

Ginny draaide zich net op tijd om om te zien dat Keith een sprongetje maakte, de bovenkant van het hek vastpakte en er soepel overheen klauterde, ook al had hij Ginny's rugzak om. Van achter de tralies grijnsde hij naar haar.

'Kom, hiernaartoe,' zei hij, wijzend naar de donkere vlakte vol grafstenen en bomen aan zijn kant.

'Hoe bedoel je, hiernaartoe?'

'Dit is een Parijs kerkhof! Dat zijn de allerbeste. Vijf sterren.'

'Ja, en?'

'Kom in elk geval even kijken.'

'We mogen daar helemaal niet komen!'

'We zijn toeristen! We weten niet beter. Kom nou. Erover-heen.'

'Dat kunnen we niet maken!'

'Ik heb je rugzak,' zei hij. Hij draaide zich om, zodat ze hem kon zien. Kennelijk had ze geen keus.

'Als ik eroverheen klim, moet je me beloven dat we alleen even rondkijken en dan weer weggaan.'

'Dat beloof ik.'

Het kostte Ginny aanzienlijk meer moeite om over het hek heen te komen dan Keith. Er was niets waar ze haar voet op kon zetten. Ze moest steeds omhoog springen en proberen de bovenkant vast te pakken. Uiteindelijk lukte het haar om erbovenop te klimmen, maar toen had ze geen idee hoe ze er weer af moest. Keith overtuigde haar er na een tijdje van dat ze beter haar been eroverheen kon slingeren, omdat ze anders ongetwijfeld zou worden gesnapt. Hij slaagde er bijna in haar op te vangen toen ze zichzelf op de grond wierp en hielp haar galant overeind.

'Nou,' zei hij. 'Dat is toch een stuk beter? Kom mee!'

Hij rende de schaduw van de donkere bomen en beeldhouwwerken in. Ginny ging aarzelend achter hem aan en trof hem zittend aan op een grafmonument in de vorm van een reusachtig opengeslagen boek.

'Neem plaats,' zei hij.

Voorzichtig ging ze op de bladzijde ernaast zitten. Keith trok zijn voeten op en blikte tevreden om zich heen.

'Mijn vriend Iggy en ik waren een keer op een kerkhof...' begon hij, maar toen hield hij op.

'Over wat er in Schotland is gebeurd, met dat stuk speelgoed,' zei hij. 'Ben je daar nog boos over?'

Was hij er maar niet over begonnen, dacht ze.

'Laat maar,' zei ze.

'Nee, ik wil het weten. Ik weet dat ik het niet had moeten meenemen. Sommige gewoontes zijn moeilijk af te leren.'

'Dat is geen gewoonte. Nagelbijten is een gewoonte. Stelen is een misdrijf.'

'Die preek heb je me al eens gegeven. En ik wist het bovendien al. Ik dacht gewoon dat je het leuk zou vinden.'

Hoofdschuddend duwde hij zich van het monument af.

'Wacht even,' zei Ginny. 'Ik snap het wel, alleen... het was diefstal. En het was Mari. En Mari was de goeroe van mijn tante, of zoiets. En ik steel nooit. Ik zeg niet dat je een slecht mens bent, of...'

Keith ging op het naastgelegen graf staan, een platte steen die op de grond lag. Hij sprong in het rond en zwaaide met zijn armen.

'Wat doe jij nou weer?' vroeg Ginny.

'Ik dans op het graf van die gozer. Je hoort altijd verhalen over mensen die op je graf dansen, maar niemand doet het ooit.'

Toen hij zich had uitgeleefd, kwam hij terug en ging voor haar staan.

'Weet je wat je me nog niet hebt verteld?' vroeg hij. 'Je hebt me nog niet verteld waar je tante aan overleden is. Ik weet dat dit misschien niet de beste plaats is om dat te vragen, maar...'

'Een hersentumor,' zei Ginny snel. Ze begroef haar kin in haar handen.

'O. Erg voor je.'

'Dank je.'

'Is ze erg lang ziek geweest?'

'Ik geloof van niet.'

'Hoezo, je gelooft van niet?'

'We wisten het niet,' zei Ginny. 'We hebben het later pas gehoord.'

Hij ging weer naast haar op de andere bladzijde van het boek zitten, maar draaide zich toen om, zodat hij het beter kon bekijken.

'Wat denk je dat dit voor een tekst is?' vroeg hij. 'Wacht even.'

Hij boog zich dicht naar de uitgebeitelde letters toe.

'Dit moet je zien,' zei hij. 'Draai je eens om.'

Ginny draaide zich met enige tegenzin om en keek omlaag.

'Wat is er nou?' vroeg ze.

'Het is Shakespeare, in het Frans. Romeo en Julia, verdorie. En als ik me niet vergis...' Hij liet zijn blik even over de woorden gaan. 'Volgens mij is het een fragment uit de grafscène, waarin ze allebei doodgaan. Ik weet niet of ik dat romantisch of griezelig vind.'

Hij peuterde aan de uitgebeitelde letters.

'Waarom wilde je weten hoe ze is gestorven?' vroeg Ginny.

Hij keek op. 'Weet ik niet,' zei hij. 'Het leek gewoon een relevante vraag. En ik vermoedde dat het... nou ja... dat het een tijdje had geduurd. Het lijkt me dat er nogal wat planning achter die brieven heeft gezeten, en met dat geld en zo...'

'Wilde je alleen maar bij me zijn vanwege het geld?'

Hij ging rechtop zitten, sloeg zijn benen over elkaar en keek haar recht aan.

'Wat bedoel je daar precies mee?' vroeg hij. 'Denk je soms dat ik alleen daarin geïnteresseerd ben?'

'Dat weet ik niet. Daarom vraag ik het je.'

'Het geld was prettig,' zei hij. 'Ik vond je leuk omdat je gestoord was. En je bent mooi. En best wel verstandig voor een gestoord iemand.'

Zodra ze het woord 'mooi' hoorde, boorde ze haar blik in de steen. Keith tilde haar kin op. Hij keek haar een hele tijd aan en liet toen zijn hand naar haar nek glijden. Ginny sloot haar ogen, had het gevoel dat haar hele lichaam een beetje smolt en liet zich toen naast hem in de vouw van het boek trekken. Deze keer, in tegenstelling tot toen met Beppe, was het echter niet ongewenst of vreemd. Het was alleen maar warm.

Ze wist niet precies hoeveel tijd er verstreken was toen ze het licht opmerkte dat door haar gesloten oogleden heen probeerde te dringen. Een krachtig licht dat recht op hen was gericht.

'Dat kan nooit goed zijn,' zei Keith met zijn lippen nog tegen die van Ginny gedrukt.

Er sloeg een golf van paniek over Ginny heen. Snel ging ze rechtop zitten en trok haar T-shirt recht. Aan de voet van het monument zag ze de gestalte van een man. Omdat hij een zaklamp op hen gericht hield, kon ze niet zien wie hij was of hoe hij eruitzag. Hij zei snel iets tegen hen in het Frans.

'No parlez.' Keith krabde aan zijn hoofd.

De man richtte de zaklamp op de grond. Toen Ginny's ogen weer aan het donker gewend waren, zag ze dat hij een uniform droeg. Hij wenkte dat ze van de steen af moesten komen. Keith wierp Ginny een grijns toe en liet zich eraf glijden. Kennelijk vond hij dit een giller.

Ginny kon zich niet verroeren. Ze probeerde haar vingers in de steen te begraven, zich vast te klampen aan de ondiepe letters die erin waren gebeiteld. Haar knieën waren halfgebogen en verstijfd. Misschien zou de agent haar niet zien... Misschien was hij oerstom of bijna blind en zou hij denken dat ze deel uitmaakte van het beeldhouwwerk.

'Kom nou!' zei Keith, veel te opgewekt naar haar zin. Hij hielp haar bij haar elleboog naar beneden en hees haar rugzak op zijn schouders.

De man liep met hen mee een pad af, hen bijlichtend met zijn zaklamp. Hij deed geen poging om iets te zeggen. Bij een rond wachthuisje aangekomen, pakte hij een walkietalkie.

'O lieve help,' zei ze, terwijl ze haar gezicht tegen Keiths borstkas drukte om niet te hoeven kijken. 'O lieve help. We worden gearresteerd in Frankrijk.'

'Ik mag het hopen,' zei Keith.

Rap Frans. Ze hoorde de walkietalkie die op de balie werd neergelegd en bladzijden van een boek die werden omgeslagen. Het gerammel van sleutels. Het elektronische gepiep van een of andere sensor. Toen kwamen ze weer in beweging. Ze wist niet waar ze naartoe gingen, want ze besloot haar ogen gewoon dicht te houden en dicht tegen Keith aan te lopen.

Er zouden telefoontjes worden gepleegd naar New Jersey – misschien zetten ze haar wel meteen op het vliegtuig naar huis. Of misschien ging ze rechtstreeks naar een Parijse gevangenis vol Franse hoertjes met sigaretten, netkousen en mondharmonica's.

Een piepend geluid. Beweging. Ze klampte zich nog steviger aan Keith vast, begroef haar vingers in zijn arm.

Ze bleven staan.

'Je kunt je ogen wel weer opendoen,' zei hij terwijl hij zorgvuldig haar vingers loswrikte van zijn arm. 'En die arm moet nog langer mee dan vandaag, als je 't niet erg vindt.'

Het beste hotel van Parijs

Ze stonden op de stoep en ze had nog steeds zijn arm vast, alleen niet meer zo stevig.

'Zijn we dan niet gearresteerd?' vroeg ze.

'Natuurlijk niet,' zei hij. 'We zijn in Parijs! Denk je nu echt dat ze hier mensen arresteren omdat ze zitten te zoenen? Maakte je je zorgen?'

'Een beetje wel, ja!'

'Waarom?'

Hij leek oprecht verbaasd.

'Omdat we net door de Franse politie zijn aangehouden wegens schending van de openbare zeden of grafschennis of zoiets!' zei ze. 'Ze hadden ons wel het land uit kunnen zetten!'

'Het was maar een bewaker die ons vriendelijk verzocht het terrein te verlaten.'

Ze liepen over de stille straat vol gesloten winkels. Volgens een klok op de gevel van een winkel was het net elf uur geweest.

'O, shit,' zei ze. 'Ik heb de avondklok gemist. Ik kan niet meer naar binnen.'

'O hemeltjelief toch...' Hij haalde een metrokaartje uit zijn zak. 'Nou, fijne nacht nog!'

'Laat je me in de steek?'

'Kom nou,' zei hij terwijl hij met een zwierig gebaar zijn arm om haar schouders sloeg. 'Zou ik zoiets doen?'

'Vast wel.'

'Je mag met mij mee als je wilt. Er is nog wel een plaatsje op de grond.'

De trein naar de plaats waar Keith logeerde, was een forenzentrein naar een buitenwijk, en de eerstvolgende kwam pas de volgende ochtend. Glimlachend stak hij zijn handen diep in zijn zakken.

'En,' zei ze, 'wat nu?'

'We lopen rond tot we een plekje vinden om te zitten. En als we vinden dat het lekker zit, gaan we liggen.'

'Op straat?'

'Nou, liever niet echt op straat. Liever op een bankje. Misschien een stukje gras. Alhoewel, we zijn natuurlijk in Parijs. Wie weet wat die miljoenen hondjes allemaal op het gras hebben uitgespookt. Een bankje dan maar. Treinstations zijn meestal wel aardig. Ik weet dat je hebt gezegd dat je niet rijk bent, maar dit zou een goed moment zijn om je geheime voorraad geld aan te spreken en een kamer voor ons te boeken in het Ritz.'

'Mijn tante was blut toen ze hier was,' zei ze bijna verdedigend. 'Ze logeerde in een eetcafeetje op de grond achter de bar.'

'Het was een grapje,' zei hij. 'Rustig maar.'

Ze liepen zwijgend verder, tot ze op een van de grotere parken stuitten – een echt park deze keer.

'Weet je waar we volgens mij zijn?' vroeg Keith. 'Bij de Tuilerieën.'

Normaal gesproken zou ze het doodeng hebben gevonden om 's avonds in een park rond te lopen, maar nu ze kortgeleden door de politie was betrapt op een donker kerkhof, waren de brede wandelpaden en maanverlichte witte fonteinen niet meer zo angstaanjagend. Ze konden nauwelijks zien waar ze liepen, maar ze konden afgaan op het geknars onder hun voeten van het grind op het lange pad dat ze volgden.

Ze kwamen bij een grote kring in het pad. In het midden stond een fontein en overal eromheen bankjes.

'Daar zijn we dan,' zei Keith. 'Ons hotel. Ik zal de piccolo vragen of hij onze tassen naar boven wil brengen.'

Hij zette Ginny's rugzak op een van de bankjes en ging er met zijn hoofd op liggen.

'Donzen kussens,' zei hij. 'Dat is pas kwaliteit.'

Ginny ging met haar benen de andere kant op liggen. Ze staarde naar de donkere contouren van de bomen die boven hen uitstaken. Het leken wel schaduwhanden die naar de hemel reikten.

'Keith?' vroeg ze.

'Ja?'

'Even checken.'

'Ik ben er nog, mafkees.'

Ze grijnsde.

'Denk je dat we worden beroofd en vermoord?'

'Ik hoop van niet.'

Ze wilde nog iets vragen, maar voor ze kon bedenken wat, was ze al in slaap gevallen.

Ginny hoorde geritsel bij haar hoofd, maar haar lichaam had nog geen zin om in beweging te komen. Ze moest zichzelf dwingen haar ogen te openen. Ze keek op haar horloge. Het was tien uur. Ginny stak haar hand uit met de bedoeling Keith bij zijn schouder heen en weer te schudden. Hij had zijn armen strak op zijn borst over elkaar geslagen en zag er zo tevreden uit dat ze hem eigenlijk niet wakker wilde maken.

Ze trok zichzelf overeind en keek om zich heen. Overal in het park liepen nu mensen. Niemand leek enige aandacht aan hen te besteden. Snel wreef ze over haar gezicht om de eventuele slaap uit haar ogen en speeksel uit haar mondhoeken weg te werken. Ze keek ook even hoe het met haar vlechten was gesteld. Ze waren nog min of meer intact. Afgezien van het feit dat ze zich een beetje plakkerig voelde (wat je natuurlijk kon verwachten als je een hele nacht op een bankje had gelegen, hoewel ze niet zou kunnen zeggen waarom), was ze er redelijk aan toe. Het was al zo lang geleden dat ze echt schoon was geweest, dat haar hele standpunt over dat onderwerp was veranderd.

Sommige andere mensen in het park lieten de hond uit of wandelden wat rond. Niemand leek het erg te vinden dat ze het bankje als bed hadden gebruikt.

Keith werd wakker en ging langzaam rechtop zitten.

'Oké,' zei hij. 'Waar is het ontbijt?'

Ze vonden een cafeetje verderop in de straat met een enorme berg brood en gebak in de etalage. Al snel hadden ze drie kopjes espresso (allemaal voor Keith), een koffie verkeerd en een mandje met *pain au chocolat* voor hun neus.

Als hij geen broodjes in zijn mond stopte, praatte Keith Ginny bij over de voorstelling.

'We zijn hier bijna klaar,' zei hij, 'en zodra we terug zijn, gaan we alweer naar Schotland. O, shit, is het al zo laat?'

Hij stond op.

'Luister,' zei hij, 'sorry, maar... ik moet terug. Vanmiddag moeten we optreden. Laat af en toe eens wat van je horen. Hoe het gaat en zo.'

Hij pakte haar hand vast en haalde een pen uit zijn zak.

'We houden gewoon contact,' zei hij, terwijl hij een paar woorden op haar hand schreef. 'Mijn schermnaam bij Instant Messenger.'

'Oké,' zei ze, niet in staat de teleurstelling in haar stem te verbergen. Hij pakte zijn tas en liep de deur uit. Meteen voelde haar lichaam zwaar aan. Ze was weer alleen. Wie wist of ze überhaupt nog terug zou gaan naar Engeland en Keith zou weerzien?

Werktuiglijk stak ze haar hand in het voorste vak van haar rugzak en haalde de enveloppen eruit. Het elastiekje hing er inmiddels slap omheen.

Het tekeningetje op nummer negen was met donkere inkt gemaakt. Linksonder in de hoek stond een meisje met vlechten en een rokje. Haar schaduw was lang en liep diagonaal over de hele breedte van de envelop.

Ze pakte haar schrijfblok.

7 juli
10:14 uur, tafeltje in café, Parijs

Mir,

Keith was hier. In Parijs. En hij heeft me opgezocht. Ik weet dat het ongelooflijk klinkt, maar het is echt waar, en het is niet eens zo'n wonderbaarlijk verhaal. Het belangrijkste is dat we hebben zitten zoenen op een kerkhof en dat we op een bankje in een park hebben geslapen.

Laat ook maar. Dit kun je gewoon niet op papier uitleggen. Ik zal het je persoonlijk moeten vertellen, met veel gebaren. Laten we het erop houden dat ik helemaal gek op hem ben, en dat hij net zomaar uit dit café is weggelopen en dat ik hem misschien nooit meer zie... Ik weet dat dat klinkt als een prachtig einde voor een film, maar in het echte leven is het gewoon klote.

Ik wil achter hem aan. Ik wil gaan waar hij met zijn voorstelling is en buiten op de stoep gaan liggen zodat hij over me kan struikelen. Snap je? Zo erg ben ik er inmiddels aan toe. Dat doet je vast deugd.

Ik weet dat ik het recht niet heb om te zeuren. Ik weet dat jij nog steeds gewoon in New Jersey zit. Weet wel dat ik elke dag zeker vijfenzeventig procent van de tijd aan je denk.

Liefs,
Gin

Lieve Ginny,

Weet je waarom ik zo gek ben op Nederland?

Omdat het grootste deel er eigenlijk niet eens hoort te zijn.

Echt waar. Ze moeten constant vechten om de zee tegen te houden en ze creëren nieuw land door middel van drooglegging en het verplaatsen van zand. Overal wordt het land doorkruist door water — en Amsterdam wordt doorkruist door grachten. Het is een wonder dat ze de hele boel drijvende weten te houden.

Je moet behoorlijk slim zijn om dat voor elkaar te krijgen. Het wijst ook op erg veel doorzettingsvermogen.

Niet verwonderlijk dus, dat de Nederlanders de schilderkunst voorgoed hebben veranderd. In de zeventiende eeuw konden Nederlanders schilderijen maken die wel foto's leken. Ze legden licht en beweging op een baanbrekende manier vast.

Dat zijn dezelfde mensen die graag met z'n allen een sigaretje roken, een kop koffie drinken en frietjes in mayonaise dopen.

Toen ik klaar was met het schilderen van het café, had ik genoeg van Parijs. Een belachelijk gevoel, als je erover nadenkt. Je kunt geen genoeg krijgen van Parijs. Ik denk dat ik gewoon te lang op dezelfde plek was gebleven. (Je wereldje wordt erg klein als je achter een bar op de grond slaapt.)

Ik had een goede vriend, Charlie, die ik in New York heb leren kennen. Hij is in Amsterdam geboren en woont in een huis aan de gracht in de Jordaan, een van de gezelligste, mooiste wijken van heel Europa. Ik besloot dat ik

behoefte had aan een vriendelijk gezicht, dus
zocht ik hem op. Ik wil dat jij daar ook
naartoe gaat. Charlie zal je het echte
Amsterdam laten zien. Zijn adres is
Westerstraat 60.

Je hebt nog een taak. Je moet naar het
Rijksmuseum, het grootste museum in Amsterdam.
Daar hangt een van de mooiste schilderijen ter
wereld, *De Nachtwacht* van Rembrandt. Zoek Piet
op en vraag hem ernaar.

Liefs,

je weggelopen tante

Charlie en De Appel

Amsterdam was vochtig.

Om te beginnen stond het centraal station, omringd door water, pats-boem midden in een soort inham, en Ginny vond eigenlijk dat een treinstation daar niet thuishoorde. Het werd zelfs door een gracht gescheiden van de drukke hoofdstraat die er met een bocht langs liep. Ginny stak over. Vanaf dat punt leidden talloze kleine bruggetjes over de grachten die als een spinnenweb de straten doorkliefden.

En dan regende het ook nog; een trage, druilerige miezerregen die ze nauwelijks kon zien, maar waar ze binnen de kortste keren drijfnat van werd.

Parijs was weids, met grote, volmaakt witte gebouwen die leken op bruidstaarten, en paleizen en dingen die eruitzagen als paleizen maar het waarschijnlijk niet waren. Vergeleken daarmee leek Amsterdam net een gehucht. Alle gebouwen waren laag en opgetrokken uit steen of rode baksteen. En het krioelde er van de mensen – het leek wel een bijenkorf. Rugzaktoeristen, fietsers, mensen, auto's, boten... Van alles bewoog er door de mist.

De Westerstraat was niet ver van het station. (Tenminste, volgens de gratis kaart die ze net in het station had opgepikt. Volgens de regels mocht ze er geen meenemen, maar er stond nergens dat ze er geen mocht aanschaffen zodra ze er was. Stom dat ze dat niet eerder had beseft.) Tot haar verbazing wist ze het adres vrij gemakkelijk te vinden. (Het scheelde behoorlijk als je een kaart had.)

Het huis was er een in een rij huizen die aan de gracht stonden, met aan de voorkant reusachtige ramen zonder gordijnen of jaloezieën die konden verhullen wat er binnen gaande was.

Drie mopshondjes renden achter elkaar aan over de vloer, en Ginny zag enorme abstracte schilderijen aan de muren van de kamer vol luxe meubelen en dikke tapijten. Op een laag tafeltje stonden kopjes koffie. Hopelijk betekende dat dat Charlie thuis was, want als Charlie thuis was, zou ze snel weer warm en droog zijn.

Toen ze aanklopte, kon ze de schone, droge kleren die ze zou aantrekken al bijna voelen. Eerst sokken, dan misschien een broek. Haar shirt was onder de fleecetrui redelijk droog gebleven.

Een jonge Japanner deed de deur open en zei iets in het Nederlands.

'Sorry,' zei ze langzaam. 'Engels?'

'Ik ben Amerikaan,' antwoordde hij met een glimlach. 'Wat kan ik voor je doen?'

'Bent u Charlie?'

'Nee, ik ben Thomas.'

'Ik ben op zoek naar Charlie,' zei ze. 'Is hij thuis?'

'Thuis?'

Ginny controleerde het adres in de brief nog een keer en keek naar het nummer boven de deur. Dat klopte. Voor de zekerheid hield ze Thomas echter het papiertje voor.

'Is dit het juiste adres?' vroeg ze.

'Ja, dat klopt, maar hier woont niemand die Charlie heet.'

Ginny wist niet zo goed wat ze met die informatie aan moest. Ze bleef zwijgend in de deuropening staan.

'We wonen hier pas een maand,' zei hij. 'Misschien was Charlie de vorige bewoner.'

'Aha,' zei Ginny knikkend. 'Nou, bedankt.'

'Sorry.'

'Hoeft niet, hoor.' Ze controleerde snel even haar gezicht, voor het geval ze eruitzag alsof ze elk moment in tranen kon uitbarsten. 'Zo erg is het niet.'

Ginny had maar weinig dingen meegemaakt waar ze chagrijniger van werd dan van in haar eentje terugsjokken vanaf de Westerstraat, zonder te weten waar ze naartoe moest, terwijl het steeds harder ging regenen. De grauwe hemel leek ongeveer een halve meter boven de toppen van de daken te hangen, en telkens als ze de ene fietser had weten te ontwijken, kwam er alweer een volgende die haar op de korrel leek te nemen. Haar rugzak werd nat en dus zwaarder, en het water liep in straaltjes over haar gezicht en in haar ogen. Al snel was ze zo nat dat ze zich er niet meer druk om kon maken. Ze zou nooit meer droog worden. Dit was onomkeerbaar.

Opeens leek het helemaal geen zin meer te hebben dat ze in Amsterdam was. Ze moest alleen nog even naar het museum. De wijsheid die Charlie haar had moeten meegeven, was voorgoed verloren.

In het gebied rond het station waren er jeugdherbergen in overvloed. Ze zagen er allemaal een beetje sjofel uit en er hingen borden bij die er eerder uitzagen alsof ze bij een skateboardwinkel hoorden dan bij een plaats om te overnachten. Ze probeerde er een paar, maar ze waren allemaal vol. Uiteindelijk ging ze binnen bij een jeugdherberg die De Appel heette.

Het voorste deel van De Appel was een cafeetje. Er stonden een paar oude banken en tuindecoraties: gipsen cupido's, vogelbadjes met zuurtjes erin, roze flamingo's. Er stond een reggae-album op en de zoete geur van goedkope wierook hing in de lucht. Er liep een band van groene, gele en rode verf over de muur – de kleuren van de Jamaicaanse vlag – en overal hingen scheve posters van Bob Marley.

Het leek net of ze het kastje van een wietroker binnen was gestapt.

Het café deed ook dienst als balie. Ze hadden wel een kamer vrij, als Ginny tenminste bereid was om voor twee nachten vooruit te betalen.

'Kamer veertien,' zei de man terwijl hij iets op een systeemkaartje schreef. 'Derde verdieping.'

Ginny had nog nooit van haar leven zo'n steile trap gezien – en er waren wel een miljoen treden. Ze was helemaal buiten adem toen ze na drie van die trappen haar verdieping had bereikt. De kamernummers stonden op tekeningen van wietbladeren die op de deur waren geschilderd. Pas toen ze bij kamer veertien stond, besefte ze dat ze geen sleutel had gekregen. Ze zag al snel waarom: er zat geen slot op de deur.

Het eerste wat Ginny opviel, was de sterke geur van schimmel en de onplezierige wetenschap dat de vloerbedekking waarschijnlijk vochtig aanvoelde. Er stonden veel te veel bedden in de kamer, en ze waren allemaal bedekt met een plastic hoes. Bij een van de bedden stond een meisje haastig spullen in haar rugzak te proppen. Ze hees hem op haar rug en liep snel naar de deur.

'Zorg ervoor dat je je borg terugkrijgt,' zei ze op weg naar buiten. 'Ze zullen proberen het geld te houden.'

Een snelle blik verklaarde veel. Eerdere huurders hadden hun opmerkingen duidelijk leesbaar achtergelaten. Overal waren boodschappen op de muren gekalkt, kleine onheilsberichten als: MIJN PASPOORT IS OP DEZE PLEK GESTOLEN (met een pijltje erbij), WELKOM IN HOTEL HEL! BEDANKT VOOR DE LEPRA! en het filosofische: BLIJF STONED, DAN VALT HET MISSCHIEN MEE.

Alles was kapot – een beetje of helemaal. Het raam kon niet erg ver open, maar ging ook niet dicht. Er zat geen lichtpeertje in de enige plafondlamp. De bedden leken wel wankele tafeltjes in een restaurant, die met stukjes karton in evenwicht werden gehouden. In sommige gevallen was een hele poot vervangen door een of ander vreemd voorwerp, en een van de veldbedden was helemaal doorgezakt. Boven dat bed had iemand met koeienletters geschreven: HONEYMOONSUITE.

Ze rende snel de badkamer in en uit, zodat haar brein geen tijd zou hebben om de beelden vast te houden van de gruwelen die ze daar aantrof.

Het bed waar het pijltje van het gestolen paspoort op was gericht, leek nog de beste keuze. Het had alle vier de originele poten nog en het matras leek relatief schoon. In elk geval zag ze door het plastic heen geen vlekken (en dat was bij een paar andere bedden wel anders). Snel gooide ze het laken eroverheen, zodat ze er niet meer naar kon kijken.

Op het kastje aan het voeteneinde van haar bed zat geen slot en een van de scharnieren was stuk. Ze maakte het open.

Er lag iets in.

Misschien was het ooit een boterham geweest, of een dier, of een mensenhand... Nu was het echter wollig en stonk een uur in de wind.

Een minuut later was Ginny de trap af en door de deur naar buiten.

Dakloos, eenzaam en ziek

Ze ging maar iets eten. Ze wist niet wat ze anders moest doen. Soppend liep ze een kleine supermarkt binnen en bekeek de vele rijen vol chips en gummibeertjes. Ze pakte een enorme zak met wafelachtige koeken erin, die 'stroopwafels' heetten en in de aanbieding waren. Het waren zo te zien inderdaad dunne wafeltjes, die met stroop aan elkaar waren geplakt. Troostvoer, waarschijnlijk. Ze liep met haar koekjes naar buiten en ging op een bankje zitten kijken naar de passerende lage, platte boten en fietsers. Er hingen afschuwelijke geuren die ze niet uit haar neus kon krijgen. Een onbehaaglijk gevoel verspreidde zich over haar huid, alsof ze permanent vervuild was.

Niets leek schoon. De wereld zou nooit meer schoon worden. Ze stopte de onaangebroken zak koekjes in haar rugzak en ging op zoek naar een ander logeeradres.

Amsterdam was vol. Ginny liep overal naar binnen waar het haar een beetje veiliger leek dan in De Appel. De enige plaatsen waar ze nog ruimte hadden, waren veel te duur voor haar. Tegen zeven uur begon ze wanhopig te worden. Ze was inmiddels al een heel eind bij het stadscentrum vandaan.

Daar stond een klein grachtenpandje van zandkleurige steen, met witte gordijnen en bloemen voor de ramen. Het zag eruit als het soort huis waar een lief oud vrouwtje zou wonen. Ze zou er zó voorbij zijn gelopen, ware het niet dat er een blauw neonbord bij hing waar op stond: HET KLEINE HUIS JEUGD-HERBERG EN HOTEL AMSTERDAM.

Dit was haar laatste poging. Als het nu niet lukte, kon ze teruggaan naar het treinstation in de wetenschap dat ze er alles aan had gedaan. Niet dat ze wist waar ze van daaruit naartoe moest.

Vanwege haar rugzak moest ze zich zijdelings de smalle hal in persen, die naar een foyer leidde die niet veel groter was dan de gemiddelde hal. Er was een opengewerkt raam met een balie erachter, en daar weer achter zat een keurige gezinskeuken. Een man kwam naar haar toe om haar te helpen, en het speet hem, maar hij had geen plek meer. Hij had net de laatste kamer verhuurd.

'Kun je helemaal nergens terecht?' Het was een Amerikaanse stem. Ze keek om en zag een man op de trap staan met een reisgids in zijn hand.

'Zo'n beetje alles zit vol,' zei ze.

'Ben je alleen?'

Ze knikte.

'Nou, we kunnen je niet terug de regen in sturen zonder logeeradres. Wacht even.'

Hij liep de trap op. Ginny wist niet goed waarop ze moest wachten, maar ze bleef toch maar staan. Even later kwam bij met een brede grijns op zijn gezicht terug.

'Oké,' zei hij, 'het is geregeld. Phil kan bij ons op de kamer slapen en dan kun jij de andere kamer met Olivia delen. Wij zijn de Knapps, trouwens. We komen uit Indiana. Hoe heet jij?'

'Ginny Blackstone,' zei ze.

'Hallo, Ginny.' Hij gaf Ginny een hand. 'Kom, dan stel ik je voor aan de rest van de familie! Vanaf nu hoor je bij ons!'

Olivia Knapp, Ginny's nieuwe kamergenote ('Haar initialen zijn OK!' had meneer Knapp gezegd. 'Dus noem haar maar gewoon OK, oké?') was een lang meisje met kort, honingblond haar. Ze had grote blauwe reeënogen en een griezelig gelijkmatig zonnebankkleurtje. De hele familie zag er ongeveer zo uit: kort haar, superslank, precies gekleed zoals in de reisgidsen werd aangeraden: in makkelijk schoon te houden, bescheiden kleren die je onder alle weersomstandigheden kon dragen.

De kamer die ze met Olivia zou delen, was het tegenbeeld van de kamer die ze die ochtend zo haastig had verlaten. Het was een heel smalle kamer, maar hij was schoon en had een zachte, meisjesachtige aankleding, met behang met roze en crè-mekleurige strepen en een kan vol roze en rode tulpen op de vensterbank. Het mooiste was echter dat er twee bedden stonden, met dikke, witte dekbedden erop waar nog vaag de geur van wasmiddel omheen hing.

Olivia was niet erg spraakzaam. Ze had haar rugzak op het bed gegooid en snel uitgepakt. (Ze had keurig volgens het boekje gepakt, zag Ginny. Elke centimeter van de tas was optimaal benut. Er zat niets te veel in.) Ze vulde twee van de vier laden in het dressoir en knikte naar Ginny ten teken dat de andere twee voor haar waren. Als ze het vreemd vond dat haar ouders zojuist voor vijf dagen een volslagen vreemde onder hun hoede hadden genomen, liet ze dat niet merken. Sterker nog, Ginny kreeg al snel de indruk dat dit hen wel vaker overkwam en dat ze er gewoon niet meer bij stilstonden. Olivia liet zich op het bed vallen, zette haar koptelefoon op en strekte haar benen uit naar het plafond. Ze verroerde zich niet, tot mevrouw Knapp hen voor het avondeten kwam halen.

Hoewel Ginny de hele dag nog niets had gegeten, leek voedsel haar nog niet zo'n goed idee. De Knapps deden een paar minuten hun best om haar van gedachten te doen veranderen, maar uiteindelijk namen ze genoegen met het smoesje: 'Ik heb een lange reis achter de rug en ik heb weinig geslapen.'

Toen ze weg waren, wist ze zelf eigenlijk niet zo goed waarom ze niet was meegegaan. Ergens wilde ze gewoon het liefst in dit kamertje blijven. Ze maakte haar rugzak open en haalde haar natte kleren eruit (waterproof was een relatief begrip). Ze hing ze uit over het nachtkastje.

Ze ging naar de badkamer en nam een lange, gloeiend hete douche. (Zeep! Handdoeken!) Ze vermeed bij het wassen zorgvuldig haar inkttatoeage, die al een beetje begon te vervagen.

Genietend van de warme gloed op haar huid en het schone gevoel ging ze op het bed zitten. Ze vroeg zich af wat ze nu moest doen. Ze keek om zich heen. Wat kleren wassen in de wastafel, dat kon natuurlijk. (Sinds Londen had ze niet meer gewassen, en dat begon een beetje een probleem te worden.)

Ze kon ook ergens naartoe gaan. Maar toen zag ze het: Olivia had boeken, tijdschriften en muziek, en alles lag gewoon op haar bed.

Olivia had haar spullen wel heel zorgvuldig uitgestald. Ginny begon ernstig te twijfelen of ze er wel aan moest komen. Bovendien was het niets voor haar om iets te gebruiken wat niet van haar was zonder het eerst te vragen.

Zo veel kwaad kon het echter toch niet om een paar minuten een boek te lezen of naar muziek te luisteren, zeker gezien het feit dat ze al een week of drie niets meer had gehad om naar te luisteren of in te lezen?

De verleiding was te groot.

Ze deed de deur op slot en bestudeerde de manier waarop de spullen waren uitgestald. Zorgvuldig prentte ze het in haar geheugen. De tijdschriften lagen precies met de rand tegen de derde roze streep vanaf het voeteneinde van het bed. De koptelefoon lag er als een stethoscoop bij, met het ene oortje een klein stukje onder het andere.

Olivia's muziekkeuze was spannender dan Olivia zelf scheen te zijn. Ginny luisterde naar de folkachtige muziek en de hip-hop... Gretig bladerde ze door de glossy tijdschriften. Het was allemaal zo nieuw, zo fris. Zelfs thuis las ze dit soort tijdschriften niet, maar nu vond ze het even heerlijk om de lippenstiftreclames te bestuderen en te lezen over het beste kapsel voor bij je bikini.

Er werd aan de deur gerammeld. Aangeklopt. Ginny trok in paniek de koptelefoon af en viel van het bed in haar haast om hem precies terug te leggen zoals ze hem had gevonden. Rechteroortje boven het linker? Nee. Wat maakte het ook uit... Ze gooide hem op de sprei en legde de tijdschriften er met een klap naast. Ze had maar net genoeg tijd om haar handen van Olivia's spullen te halen voor de deur openzwaaide.

'Wat doe je op de grond?' vroeg Olivia.

'O, ik... ben uit bed gevallen,' zei Ginny. 'Ik sliep. Ik schrok. Zijn jullie al zo vroeg terug? Hoe laat is het eigenlijk?'

'Mijn ouders raakten met een stel andere mensen aan de

praat,' zei Olivia weinig enthousiast en met een blik op de spullen op haar bed. Ze leek niets te vermoeden, maar bleef er wel een tijdje naar staan kijken. Ginny trok zichzelf aan de deken overeind en kroop in haar bed.

'Zeg, OK...'

'Zo noemt niemand me,' zei Olivia scherp.

'O.'

'Je kleren liggen overal.'

'Ze zijn nat,' zei Ginny. Ze ervoer een eigenaardig schuldgevoel over al dat vocht. 'Ik wilde ze laten drogen.'

Olivia gaf geen antwoord. Ze pakte haar iPod, draaide hem om in haar hand en bestudeerde hem aandachtig. Toen stopte ze hem in het voorste vakje van haar rugzak en trok de rits fel dicht. Het klonk als het boze gezoem van een reuzenbij. Vervolgens verdween ze in de badkamer. Ginny rolde met haar gezicht naar de muur en kneep haar ogen dicht.

Het leven met de Knapps

'Wakker worden, het zonnetje is al op!'

Het kostte Ginny enorm veel moeite om haar samenge-kleefde oogleden te openen. Ze had heerlijk liggen slapen, en er scheen een zacht licht door de gordijntjes naar binnen. Haar bed was weliswaar smal, maar ook heerlijk schoon en knus.

Nu lag er een hand op haar been en werd ze heen en weer geschud.

'Uit de veren, mevrouwtje Virginia!'

Naast haar slingerde Olivia haar benen al met robotachtige discipline over de rand van het bed. Ginny keek op en zag me-vrouw Knapp, die over haar heen gebogen stond met een plas-tic reisbeker in haar hand. Ze legde een papiertje naast Gin-ny's hoofd op het kussen.

'Het schema van vandaag,' zei ze. 'We hebben een hoop te doen! Dus fris en vrolijk aan de slag!'

Ze rukte de gordijnen open en deed de lamp aan. Ginny kromp ineen en keek met lodderige ogen naar het papiertje. Bovenaan stond: DAG I: MUSEUMDAG I. Er stond een hele lijst met activiteiten en tijden, beginnend bij 6:00 uur ('Opstaan') en eindigend met 22:00 uur ('Naar bed!'). Ertussenin stonden minstens tien verschillende bezienswaardigheden.

'Zien we jullie over een halfuur beneden?' tetterde mevrouw Knapp vrolijk.

'Ja,' zei Olivia, die al bijna in het badkamertje stond.

Een uur later stonden ze op het plein voor het Rijksmuse-um – het grootste, indrukwekkendste museum in Amsterdam, naar het scheen – te wachten tot het zou opengaan. Ginny be-keek het voorname gebouw aandachtig en probeerde het feit te negeren dat er een liedje uit 42nd Street werd besproken en dat er een gerede kans bestond dat de Knapps zouden gaan dansen. Gelukkig gingen de deuren open voor die nachtmerrie werkelijkheid kon worden.

De Knapps hadden heel duidelijk voor ogen hoe de uitgebreide Nederlandse collectie van kunst en geschiedenis moest worden aangepakt: door middel van een reeks goed geplande aanvallen. Dit was een militaire operatie.

Zodra ze binnen waren, vroegen ze aan degene achter de informatiebalie of die alles wilde omcirkelen wat ze absoluut moesten zien. Vervolgens gingen ze met de gids in de hand op pad. Op topsnelheid raceten ze door een tentoonstelling over vierhonderd jaar Nederlandse geschiedenis, nu en dan wijzend naar blauwwit Hollands aardewerk. Zodra ze de kunstvleugel hadden bereikt, werd het net een potje supersneltikkertje. De missie was om een schilderij te vinden dat in hun gids stond, er even naar te staren en vervolgens zo snel mogelijk naar het volgende te rennen.

Gelukkig was de derde halte *De Nachtwacht* van Rembrandt. Die was heel gemakkelijk te vinden, want overal hingen bordjes die ernaartoe wezen (en in tegenstelling tot in het Louvre logen de bordjes hier niet). Bovendien was het een knotsgroot schilderij. Het nam het grootste deel van een muur in beslag en reikte bijna tot aan het plafond. Te gek. De mensen op het schilderij waren levensgroot, alleen snapte Ginny niet goed wat ze deden. Zo te zien was het een bijeenkomst van edelen met brede hoeden en ruches om hun hals, plus een stel soldaten met grote vlaggen en een paar muzikanten. Het grootste deel van het schilderij was donker, en de figuren stonden in de schaduw. In het midden werd het echter doorkliefd door een felle wigvormige lichtbundel, die een figuur in het midden uitlichtte en het doek in drie driehoeken verdeelde.

('Als je het niet meer weet,' had tante Peg altijd gezegd, 'zoek dan de driehoeken in een schilderij op.' Ginny had geen idee waarom dat belangrijk was, maar haar tante had wel gelijk. Overal driehoeken.)

'Best wel tof,' zei meneer Knapp. 'Oké. Nu komt iets wat *Dode pauwen* heet...'

'Is het goed als ik hier blijf en straks weer naar jullie toe kom?' vroeg Ginny.

'Maar we moeten nog heel veel schilderijen bezichtigen,' zei mevrouw Knapp.

'Weet ik, maar... ik wil dit graag wat beter bekijken.'

Daar snapten de Knapps helemaal niets van. Meneer Knapp keek naar zijn gids met de vele kringen.

'Oké...' zei hij. 'Dan zien we je over een uur bij de uitgang.'

Een uur. Dat moest genoeg zijn om Piet te vinden. Wat was een Piet? Piet was waarschijnlijk een persoon, aangezien ze de Piet iets moest vragen. Oké dan. Wie was Piet?

Eerst bestudeerde ze alle naamplaatjes bij de schilderijen. Geen Piet. Ze ging op een bankje midden in de zaal zitten en keek naar de mensen die langs *De Nachtwacht* schuifelden. Natuurlijk kon niemand weten wanneer ze hier zou zijn, dus zou Piet haar niet speciaal komen opzoeken. Ze liep door alle aangrenzende zalen heen en las alle naamplaatjes. Ze stak haar hoofd om hoeken, keek op de wc's. Nergens een Piet te bekennen.

Omdat ze eigenlijk geen andere keus had, gaf ze het op en ging op zoek naar de Knapps, die het gigantische museum naar hun tevredenheid hadden bezichtigd. De volgende stop was het Van Goghmuseum. Mevrouw Knapp had daar slechts een uur voor ingepland, maar zelfs dat was voor hen al te veel. Ze keken vermoeid naar al die wervelende, hallucinogene schilderijen. Meneer Knapp vond het 'heel bijzonder' en mompelde: 'Wat had die vent allemaal geslikt?'

Ze moesten met de tram naar het volgende museum, het Rembrandthuis – Rembrandts huis dus (zoals de naam al aangaf). Het was een beetje donker en kraakte aan alle kanten. Daarna kwam het Scheepvaartmuseum (14:30-15:30 uur: schepen en ankers). Ze hadden van vier tot vijf de tijd om het Anne Frankhuis te bekijken. Daarvan meende meneer Knapp serieus dat het 'heel bijzonder' was, maar dat remde hun ongelooflijke vaart niet, want ze moesten ook nog terug naar het hotel om 'Een uiltje te knappen' (17:30-18:30 uur). Zodra ze terug waren, liet Olivia zich op haar bed vallen, wreef stevig over haar benen, zette haar koptelefoon op en viel in slaap. Ginny ging ook liggen, maar hoewel ze uitgeput was, deed ze geen oog dicht. Net op het moment dat ze weg begon te dommelen, vloog de deur open en gingen ze weer op pad.

Ze aten in het Hardrock Café, en tijdens de maaltijd hadden ze het bijna uitsluitend over Phils geweldige vriendinnetje. Ze hadden het nog nooit zo lang zonder elkaar moeten stellen, dus moest Phil haar na het eten snel even bellen. Terwijl hij weg was, veranderden meneer en mevrouw Knapp van onderwerp. Nu concentreerden ze zich op het hardlopen van Olivia. Dat was wat Olivia deed, hardlopen. Ze had op de middelbare school hardgelopen en was nu net klaar met het eerste jaar van de hogeschool. Ze studeerde verpleegkunde, maar bovenal liep ze hard. Olivia keek er erg naar uit om tijdens de vakantie een keer te gaan hardlopen. Olivia zei zelf helemaal niets. Ze at gewoon haar salade met gegrilde kip en speurde in een mechanische, zijdelingse beweging keer op keer de zaal af.

Na het eten moesten ze zich haasten om op tijd te zijn voor een avondrondvaart op een boot met een glazen plafond. Tijdens de tocht gaven de Knapps een paar hoogtepunten uit *The Phantom of the Opera* ten beste. (Met name, zo legden ze uit, de bootscène.) Ze zongen niet zo hard als die ochtend, maar in zichzelf. En toen was de dag gelukkig ten einde.

Allerlei contacten

De daaropvolgende drie dagen volgde Ginny het moordende schema van de Knapps. 's Ochtends bij het krieken van de dag werd er op de deur geklopt, waarop ze met een ongewenst vrolijke opmerking wakker werd geschud en er een papiertje op haar kussen werd gelegd. Elk stukje Amsterdam was in zorgvuldig uitgestippelde routes opgedeeld. De musea. Het paleis. De Heineken-fabriek. Alle wijken. Alle parken. Alle grachten. Elke avond hoorde ze meneer Knapp een uitspraak doen die op het volgende neerkwam: 'Weet je, zelfs als je een maand de tijd had, zou je deze stad nog geen recht kunnen doen.'

Ginny barstte bijna in vreugdetranen uit toen ze ontdekte dat dag vijf van de rondreis door Amsterdam was aangewezen als 'vrije dag'. Phil ging er meteen na het ontbijt vandoor, en om acht uur stond Olivia haar speciale hightech hardloopkleding aan te trekken. Ginny zat op het bed toe te kijken, vechtend tegen de aandrang om weer tussen de lakens te kruipen en de rest van de dag te slapen. Ze moest de mysterieuze Piet zien te vinden en Keith een berichtje sturen. Dat laatste wilde ze al dagen, maar ze had tot op dat moment nog geen enkele kans gezien om er even tussenuit te glippen.

'Wat ga jij vandaag doen?' vroeg Olivia.

Ginny keek geschrokken op.

'Ik wilde... een paar e-mailtjes versturen,' zei ze.

'Ik ook, na het hardlopen. Een paar straten verderop zit een internetcafé. Daar ga ik straks naartoe. Als je wilt, kunnen we samen doen met een dagkaart. Dat is goedkoper.'

Olivia legde uit waar het internetcafé precies zat en Ginny ging ernaartoe – maar niet voordat ze een lange douche had genomen en zorgvuldig haar haren opnieuw had gevlochten.

Nadat ze Keith een berichtje had gestuurd, zette Ginny het chat-programma aan en ging een uur lang alleen maar zitten sur-fen. Het leek wel een verslaving waar ze heel lang niet aan had kunnen toegeven. Het was nog fijner dan de tijdschriften en de muziek van een paar dagen eerder. Het beangstigde haar bijna hoezeer ze het had gemist om die oude, vertrouwde, stomme websites te bekijken.

Er klonk een piepje toen Keith online ging.

'EN HOE BEVALT A'DAM?'

'ADAM?' schreef ze.

'AMSTERDAM SUKKEL.'

Opeens zag ze ook het profiel van Miriam actief worden.

'O MIJN GOD BEN JE ONLINE?' schreef ze.

Ginny gilde het bijna uit. Meteen legde ze haar vingers op de toetsen om antwoord te geven, maar toen trok ze ze met een ruk terug, alsof ze zich had gebrand.

Ze mocht niet online communiceren met iemand uit Amerika.

'WAAROM ANTWOORD JE NIET?' schreef Miriam.

'JE MAG NIET MET ME COMMUNICEREN, HÈ?

O SHIT.

OKÉ.

ALS JE ER BENT, LOG DAN HEEL SNEL UIT EN WEER IN.'

Ze probeerde snel uit en weer in te loggen, maar de com-puter was traag. Ze kreunde van frustratie. Toen ze eindelijk weer online was, verscheen er in rap tempo een reeks bericht-jes van Keith.

'HALLO?

HEB IK IETS VERKEERDS GEZEGD?

WAAR BEN JE GEBLEVEN?

IK MOET TOCH WEG'

'NEE, IK BEN ER NOG...' schreef ze.

Maar het was te laat. Hij had al uitgelogd.

Miriam schreeuwde echter nog steeds de hele cyberspace bij elkaar.

'IK RAAK NU HET SCHERM AAN. IK MIS JE VRESELIJK.'

Ginny voelde de tranen in haar ogen opwellen. Dit sloeg nergens op. Haar beste vriendin was binnen handbereik en Keith was alweer weg.

Ze legde haar vingers op de toetsen. Snel typte ze achter elkaar de ene na de andere zin.

'DIT MAG EIGENLIJK NIET MAAR IK KAN ER NIET MEER TEGEN
IK MIS JOU OOK
HET IS ALLEMAAL ZO INGEWIKKELD'

'GAAT HET WEL?'

'JA PRIMA.'

'IK HEB JE BRIEVEN ONTVANGEN. WAAR IS KEITH? BEN JE VERLIEFD OP HEM?'

'IK GELOOF DAT HIJ NOG IN PARIJS IS. HIJ IS GEWOON KEITH.'

'WAT BEDOEL JE DAAR NOU WEER MEE? IK WIL HET LIEFST METEEN IN HET VLIEGTUIG STAPPEN.'

'HET BETEKENT DAT IK HEM WAARSCHIJNLIJK NOOIT MEER ZAL ZIEN.'

'WAAROM NIET?'

Ginny schrok zich een hoedje toen Olivia opeens naast haar kwam zitten.

'Klaar?' vroeg ze.

'Eh...'

Olivia keek nogal ongeduldig en in een reflex voelde Ginny zich schuldig.

'IK MOET GAAN. IK MIS JE.'

'IK MIS JOU OOK.'

Een paar minuten later had Ginny Olivia alleen achter de computer achtergelaten en stond ze op straat. Na dat plotselinge contact met thuis voelde ze zich verdoofd, en het kostte haar de grootste moeite om zich los te maken van haar plekje op de stoep. Het gevolg was dat fietsers, rugzaktoeristen en voetgangers met mobiele telefoons aan alle kanten langs haar heen schoten.

Ze had nog steeds een taak te vervullen. Waar was Piet? Wie was Piet? Piet was ergens in het museum, dus ging Ginny op pad... terug naar het reusachtige Rijksmuseum.

Wat had ze over het hoofd gezien? Wat was daar verder nog te vinden? Schilderijen. Mensen. Namen.

En suppoosten.

Suppoosten. De mensen die de hele dag naar de schilderijen keken. De suppoost in deze zaal was een wijs uitziende oude man met een witte baard. Ginny liep op hem af.

'Pardon,' zei ze. 'Spreekt u Engels?'

'Natuurlijk.'

'Bent u Piet?'

'Piet?' herhaalde hij. 'Die zit bij de zeventiende-eeuwse stillevens. Drie zalen verderop.'

Ginny rende zowat door de gang. In de hoek van de zaal stond een jonge suppoost met een piepklein geitensikje met de gesp van zijn riem te spelen. Toen ze vroeg of hij Piet was, kneep hij zijn ogen samen en knikte.

'Mag ik u iets vragen over *De Nachtwacht*?'

'Zeg het eens,' zei hij.

'Kunt u er... iets over vertellen? Bewaakt u het schilderij?'

'Soms,' zei hij.

'Is er ooit een vrouw geweest die u er iets over heeft gevraagd?'

'Er zijn zo veel mensen die vragen stellen,' zei hij. 'Wat wilt u precies weten?'

Ginny wist niet zo goed wat ze wilde weten.

'Maakt niet uit,' zei ze. 'Wat u ervan vindt.'

'Het is gewoon een deel van mijn leven,' zei hij schouderophalend. 'Ik zie het elke dag. Ik denk er niet echt over na.'

Dat kon niet. Dit was Piet. Dit was *De Nachtwacht*. Piet krabde echter alleen maar aan zijn onderlip en keek naar de zaal. Wat hem betrof, was het gesprek voorbij.

'Oké,' zei ze. 'Bedankt.'

Terug in Het Kleine Huis groef Ginny in haar rugzak en probeerde te besluiten welke kleren het schoonst waren – een moeilijke keuze.

'Ik heb geweldig nieuws!' zei mevrouw Knapp, die zonder te kloppen de kamer binnenstormde en Ginny de schrik van

haar leven bezorgde. 'Iets bijzonders voor onze laatste dag samen! Een fietstocht! Naar Delft! Wij trakteren!'

'Delft?' vroeg Ginny.

'Dat is een van de andere grote steden. Dus rust vanavond
maar flink uit! Morgen staan we vroeg op! Vertel je Olivia het
goede nieuws?'

Bam. Deur dicht. Ze was weg.

Het geheime leven van Olivia Knapp

De volgende ochtend vroeg stapten ze op de tram naar het uiterste randje van Amsterdam. Ginny vond de tram leuk. Het was net een uit de kluiten gewassen speelgoedtreintje dat op straat was losgelaten. Ze keek door het raam naar buiten en zag Nederland aan zich voorbij wiebelen: de oude huizen, de alomtegenwoordige grachten en de mensen met praktisch schoeisel.

Er was iets wat de Knapps niet hadden gezegd, maar wat Ginny overduidelijk kon voelen (letterlijk kon voelen – alsof het door haar achterhoofd naar binnen drong), en dat was dat ze haar best aardig vonden, maar blij waren dat ze geen kind van hen was. Of liever: dat de situatie heel anders zou zijn geweest als ze wél een kind van hen was. Dan zou ze uit zichzelf 's morgens om zes uur als een robot zijn opgestaan. Dan zou ze niet zo hebben getreuzeld tijdens de krankzinnige stormloop van de ene plaats naar de andere. Dan zou ze liedjes uit musicals hebben gezongen. Dan zou ze van hardlopen hebben gehouden, of het in elk geval hebben overwogen. En ze zou absoluut meer enthousiasme aan de dag hebben gelegd bij het vooruitzicht ruim twintig kilometer te moeten fietsen. Dat laatste wist ze heel zeker, want ze vroegen haar steeds: 'Hartstikke leuk toch, Ginny? Een fietstocht? Te gek toch? Hartstikke leuk toch?'

Ginny zei dat ze het hartstikke leuk vond, maar ze moest telkens gapen, en de uitdrukking op haar gezicht sprak waarschijnlijk boekdelen: ze hield niet van fietsen. Sterker nog, ze had een hekel aan fietsen. Dat was niet altijd zo geweest. Toen zij en Miriam nog klein waren, hadden ze hele dagen gefietst, maar daar was op een dag toen ze twaalf waren een eind aan gekomen. Toen had Ginny's fiets namelijk besloten dat hij niet wilde stoppen aan de voet van de grote heuvel waar ze vanaf was gereden. Ze moest scherp opzij sturen om de auto's te ontwijken, en was een heel eind over het asfalt doorgeschoven.

Daar probeerde ze uit alle macht niet aan te denken toen ze op een fiets werd gezet die veel te groot voor haar was. De reisleider zei dat ze nu eenmaal een 'groot – en daarmee bedoel ik lang – meisje' was. Dat hield in dat de kleinere mensen allemaal fietsen kregen die precies groot genoeg voor hen waren, en dat zij de grotemeisjesfiets kreeg die overbleef.

En zo lang was ze niet eens. Olivia was langer.

Kennelijk was het vandaag 'klier Ginny'-dag.

De rit naar Delft was vrij gemakkelijk, zelfs voor Ginny, aangezien Nederland zo plat was als een pannenkoek. Het gebeurde maar een paar keer dat ze bijna van haar torenhoge fiets viel, en dan alleen als ze snelheid maakte om meer afstand te creëren tussen haarzelf en de Knapps. Die zongen namelijk elk liedje dat ze konden bedenken waarin werd verwezen naar fietsen of ergens naartoe gaan.

Delft bleek een prachtig stadje te zijn, een miniatuurversie van Amsterdam. Het was zo'n absurd coole plaats dat Ginny wist dat ze er nooit, maar dan ook nooit zou kunnen wonen, wettelijk dan wel uit puur geluk. De burgerij zou het domweg niet toestaan.

In een van de eerste winkeltjes die ze binnen gingen, werden houten klompen verkocht. Mevrouw Knapp was door het dolle heen. Ginny wilde alleen maar even zitten, dus stak ze de straat (de gracht, eigenlijk) over en liet zich op een bankje zakken. Tot haar grote verbazing kwam Olivia naast haar zitten.

'Met wie zat je gisteren te chatten?' vroeg Olivia.

Misschien kwam het door de schrik omdat Olivia opeens blijk gaf van een eigen persoonlijkheid, dat het volgende gesprek kon plaatsvinden.

'Met mijn vriendje,' zei Ginny. 'Ik zat te chatten met mijn vriendje Keith.'

Oké. Dat was gelogen, min of meer. Ze wist niet eens precies waarom ze loog. Misschien alleen maar om het hardop te horen. Keith... mijn vriendje.

'Dat dacht ik al,' zei Olivia. 'Ik ook. Ik kan niet bellen, zoals Phil.'

'Waarom kun je je vriendje niet bellen?'

'Nee.' Olivia schudde haar hoofd. 'Zo zit het niet in elkaar.'

'Zo zit wat niet in elkaar?'

'Ik, eh... Ik heb geen vriendje, maar een vriendin.'

Aan de overkant van de straat stonden meneer en mevrouw Knapp wild naar hun voeten te gebaren. Ze droegen allebei felgekleurde klompen.

'Mijn ouders zouden zich verhangen als ze het te weten kwamen,' zei Olivia bedachtzaam. 'Echt, ze zouden zichzelf aan de hoogste boom opknopen. Ze zien alles, behalve wat er vlak voor hun neus gebeurt.'

'O...'

'Vind je het raar?' vroeg Olivia.

'Nee,' zei Ginny snel. 'Ik vind het geweldig. Dat je lesbisch bent. Dat is geweldig.'

'Zo bijzonder is het nu ook weer niet.'

'Nee,' beaamde Ginny. 'Dat is ook zo.'

Meneer Knapp maakte een dansje. Olivia zuchtte. Ze bleven een poosje zwijgend zitten kijken naar het gênante tafereel. Toen verdwenen de Knapps in een volgende winkel.

'Ik denk dat Phil het vermoedt,' zei Olivia somber. 'Hij stelt steeds vragen over Michelle. Phil is een beetje een klootzak, eigenlijk. Hij is mijn broer, maar toch. Hou het maar voor je.'

'Doe ik.'

Na die plotselinge bekentenis werd Olivia weer gewoon Olivia, met haar afwezige blik en het constante gewrijf over haar benen.

'Volgens mij willen ze kaas kopen,' zei ze na een korte stilte. Ze stond op en stak de brug over.

Ginny bleef even doodstil zitten kijken naar de boten die op de gracht ronddobberden. Dat Olivia lesbisch was, was nog niet eens zo schokkend. Wel dat Olivia gevoelens had en iets te melden had, en het nog had gemeld ook. Er ging dus toch iets schuil achter dat emotieloze gezicht van haar.

Bovendien had Olivia een heel scherpzinnige opmerking gemaakt... Niet over de kaas, maar over zien wat er vlak voor je neus gebeurt. Net als Piet: hij zag *De Nachtwacht* elke dag en lette er eigenlijk niet zo op. Wat gebeurde er vlak voor haar neus? Er waren bootjes. Een stuk water. Een stel oude grachtenpanden. Haar te grote fiets waarop ze nog helemaal terug moest fietsen naar Amsterdam en die onderweg hoogstwaarschijnlijk haar dood zou worden.

Waar was ze mee bezig? Er was hier geen verborgen boodschap. In dit specifieke geval had tante Peg het verprutst. Er was geen Charlie. Piet wist niet waar hij over praatte. Het enige wat haar nu restte, was een of andere theorie samen te stellen over wat dit mogelijk allemaal te betekenen had – een theorie die op slechts een paar gespreksfragmenten was gebaseerd.

Amsterdam, zo moest ze voor zichzelf toegeven, was een flop.

Om hun laatste avond in de stad te vieren, hadden de Knapps besloten naar een restaurant te gaan dat was gevestigd in een middeleeuwse bank. Het leek echter meer op een piepklein kasteeltje. Aan de stenen muren hingen toortsen, en er stonden harnassen in de hoeken. Olivia leek uitgeput door haar bekentenis van eerder die dag en hield de hele maaltijd lang zwijgend haar blik op een van die harnassen gericht.

'Nou,' zei mevrouw Knapp terwijl ze een papiertje tevoorschijn haalde en op tafel legde. 'Ik heb een lijstje voor je gemaakt, Ginny. Laten we het voor het eten vanavond op twintig euro houden, dat is wel zo gemakkelijk.'

Ze schreef iets onder aan het blaadje en gaf het toen aan Ginny. Al die tijd hadden de Knapps voor alles hun creditcard getrokken. Ginny wist natuurlijk best dat ze op een gegeven moment iets zou moeten bijdragen. Dat moment was nu kennelijk aangebroken, afgaand op het zorgvuldig uitgewerkte lijstje met daarop elk toegangskaartje en elke maaltijd, plus haar aandeel in de kosten van het hotel.

Ginny vond het helemaal niet erg om mee te betalen, maar het was een vreemde ervaring om de rekening tijdens het eten gepresenteerd te krijgen, terwijl alle vier de Knapps toekeken. Ze voelde zich zo slecht op haar gemak dat ze er niet eens naar kon kijken. Ze legde het op haar schoot en trok de rand van het tafellaken eroverheen.

'Bedankt,' zei ze. 'Ik moet wel eerst pinnen.'

'Neem rustig de tijd!' zei meneer Knapp. 'Morgenochtend is vroeg genoeg.'

Waarom heb je me de rekening dan nu al gegeven? vroeg Ginny zich af.

Terug in Het Kleine Huis nam Ginny het lijstje door. Pas toen besefte ze dat ze helemaal niet had opgelet hoeveel het allemaal had gekost. De Knapps vroegen niet het volledige bedrag voor de kamer terug (ze bleken de beste kamers in het hele hotel te hebben geboekt, en die waren erg prijzig), maar toch kwam het voor vijf dagen op tweehonderd euro. Tel daar de furieuze snelheid bij op waarmee ze alle bezienswaardigheden langs waren gegaan (alle entreeprijzen), en de restaurants en het internet-café, en ze had er bijna vijfhonderd euro doorheen gejaagd. Ze was er vrij zeker van dat ze nog wel zo veel geld had, maar de lichte twijfel bezorgde haar een slapeloze nacht. Ze was als allereerste op en glipte de deur uit om het te controleren.

Tot haar grote opluchting kreeg ze haar geld van de pinautomaat, maar hij wilde haar niet vertellen wat haar saldo was. Hij spuugde alleen maar een handvol paarse bankbiljetten uit en schakelde zichzelf vervolgens na een boodschap in het Nederlands uit. Misschien stond er wel: 'De pot op met jou, stomme toerist!', wist zij veel.

Ze ging op de stoep zitten en haalde de volgende envelop tevoorschijn. Er zat een briefkaart in, beschilderd met wilde vegen aquarelverf. Het moest zo te zien een wolkenhemel voorstellen, maar er waren twee zonnen: een met een 1 en een met een 0 erop.

Brief nummer tien.

'Oké,' zei ze. 'Wat nu?'

Lieve Ginny,

Laten we niet langer om de hete
brij heen draaien. We hebben het
er tot nu toe niet over gehad,
maar het wordt hoog tijd. Ik
werd ziek. Ik ben ziek. Ik zal
alleen maar zieker worden. Ik
vind het niet leuk, maar het is
niet anders — en het is altijd beter om dingen
meteen onder ogen te zien. Nooit gedacht dat je
mij dat zou horen zeggen, hè? Maar het is echt
zo.

Toen ik die ochtend in november op weg naar
het Empire State Building bleef stilstaan, was
daar een reden voor. Ik deed het niet alleen
uit morele verontwaardiging bij de gedachte
dat ik in dat gebouw moest gaan werken. Nee,
ik wist gewoon het nummer niet meer van het
kantoor waar ik naartoe moest. Dat had ik
namelijk thuis laten liggen.

Die andere versie was gewoon een beter
verhaal: dat ik opeens bleef stilstaan,
me omdraaide en wegging. Dat is romantisch.
Ik had ook gewoon kunnen zeggen dat
ik een geheugen had als een zeef, mijn
spiekbriefje thuis had laten liggen en terug
moest, maar dat zou niet hetzelfde zijn
geweest.

Als ik nu terugkijk, Gin, denk ik dat het
daarmee is begonnen. Met dat soort kleine
dingetjes. Toegegeven, ik ben altijd een beetje
een warhoofd geweest, maar er begon een
duidelijk patroon te ontstaan. Nu en dan
ontschoten me bepaalde feitjes. Mijn artsen
zeggen dat het probleem waar ik mee kamp vrij
recent is en dat ik twee jaar geleden
onmogelijk al symptomen kan hebben gehad,
maar artsen weten ook niet alles. Ik denk dat

ik toen al wist dat tijd binnenkort een probleem zou worden.

Bij Charlie in Amsterdam raakte ik ervan overtuigd dat me iets mankeerde. Ik wist niet goed wat. In eerste instantie dacht ik dat het iets met mijn ogen te maken had. Mijn waarneming van licht veranderde. Soms leek alles heel donker. Er zaten zwarte vlekjes voor mijn ogen, vlekjes die soms mijn gezichtsveld aanvraten. Maar, bangeschijtert die ik ben, ik weigerde naar een dokter te gaan. Ik maakte mezelf wijs dat het niets voorstelde en besloot gewoon verder te reizen. Mijn volgende halte was een kunstenaarskolonie in Denemarken.

De volgende opdracht luidt dan ook: neem meteen het vliegtuig naar Kopenhagen. Het is maar een korte reis. Stuur een e-mail met je vluchtinformatie naar knud@aagor.net. Dan komt iemand je op het vliegveld ophalen.

Liefs,

JWT

Het Vikingschip

Op het vliegveld van Kopenhagen stond Ginny naar een deur te staren. Ze probeerde vast te stellen (a) of het een wc was en (b) wat voor een wc. Op de deur stond alleen een H.

Was zij een H?

Stond H voor 'haar'? Het kon net zo goed 'hem' betekenen. Of: 'Helikopterloods – helemaal geen wc'.

Wanhopig draaide ze zich om, zo onhandig dat ze door haar zware rugzak haar evenwicht verloor en bijna viel.

Het vliegveld van Kopenhagen was modern en overzichtelijk, met glanzende metalen platen aan de muren, metalen strips op de vloer en grote, metalen zuilen. Alle vliegvelden zagen er een beetje steriel uit, maar dat van Kopenhagen leek wel een operatietafel. Toen Ginny door de reusachtige glazen panelen in de pui van het gebouw naar buiten keek, zag ze dat ook de hemel staalgrijs was.

Ze stond te wachten op iemand die ze niet kende en die haar niet kende. Ze wist alleen dat hij of zij in het Engels en uitsluitend met hoofdletters typte en haar had opgedragen: WACHT BIJ DE ZEEMEERMINNEN. Na een hele tijd in halve kringetjes te hebben rondgelopen (het hele gebouw was één grote bocht) en bij heel veel mensen navraag te hebben gedaan, vond ze twee standbeelden van zeemeerminnen die over een van de balustrades op de eerste verdieping heen keken. Daar stond ze nu al drie kwartier te wachten. Inmiddels moest ze heel nodig naar de wc en begon ze zich serieus af te vragen of dit een of andere test was.

Net toen ze had besloten het erop te wagen en een sprintje te trekken naar de deur met de H erop, zag ze een lange man met bruin haar die op haar afkwam. Ze kon zien dat hij nog niet zo oud was, maar door zijn lange bruine baard leek hij heel volwassen en imposant. Zijn kleding – een spijkerbroek, een T-shirt van Nirvana en een leren jas – was heel gewoon, afgezien van de riem van ijzeren schakels die om zijn middel hing. Er zaten allerlei voorwerpjes aan – een soort talismannen – zoals een grote dierentand en iets wat eruitzag als een reusachtige scheidsrechtersfluit. En hij kwam recht op haar af. Ze keek om zich heen, maar was er vrij zeker van dat hij niet op de groep Japanse toeristen afstevende die zich naast haar bij een blauwe vlag had verzameld.

'Jij!' riep hij. 'Virginia! Ja!'

'Ja,' zei Ginny.

'Ik wist het! Ik ben Knud! Welkom in Denemarken!'

'Dus u spreekt Engels?'

'Natuurlijk spreek ik Engels! Alle Denen spreken Engels! Natuurlijk! En nog vrij goed ook!'

'Vrij goed,' zei Ginny instemmend. Na elke zin die Knud sprak, leek een uitroepteken te komen. Hij sprak vooral erg lúíd Engels.

'Ja! Weet ik! Kom mee!'

Knud had een heel moderne, heel duur uitziende BMW-motor met zijspan, die op de parkeerplaats voor hen klaarstond. Het zijspan, zo legde hij uit, gebruikte hij om al zijn gereedschappen en materialen in te vervoeren (wat voor gereedschappen en materialen zei hij er niet bij). Hij was ervan overtuigd dat haar reusachtige rugzak er ook in zou passen. Daar had hij gelijk in. Even later zat Ginny in het zijspan, laag bij de grond, terwijl ze over de straten scheurden van alweer een Europese stad, die (zo moest ze tot haar grote schaamte toegeven – ze vond het nogal gemakzuchtig van zichzelf) erg leek op de stad die ze zojuist had verlaten.

Knud parkeerde de motor in een straat met een lange rij kleurige huizen, die aan een brede gracht stonden. Ginny moest wachten tot ze van haar rugzak werd bevrijd voor ze onzeker uit het zijspan kon stappen. Ze deed een stap in de richting van de huizen, maar Knud riep haar terug.

'Deze kant op, Virginia! Hier beneden!'

Hij liep met haar rugzak van een betonnen trap die naar het water leidde, en verder over de stoep parallel aan de gracht, langs een paar zorgvuldig gemarkeerde 'parkeerplaatsen' waar grote woonboten aangemeerd waren. Bij een ervan bleef hij staan. Het was een huisje met alles erop en eraan, net een blokhutje. Er hingen bloembakken met felrode bloemen bij de ramen en aan de voorkant hing een reusachtige houten drakenkop. Knud opende de deur en gebaarde dat Ginny binnen moest komen.

Knuds huis bestond uit één grote kamer die helemaal was gemaakt van rood, vers ruikend hout, en elke centimeter was zorgvuldig bewerkt met drakenkopjes, spiralen en waterspuwers. Aan de ene kant van de kamer stond een groot bed met een ombouw van dikke, onbewerkte takken. Het grootste deel van de ruimte werd in beslag genomen door een houten werktafel met beitels en ijzerwerk. Een klein deel was als keuken ingericht. Daar liep Knud op af. Hij haalde een aantal plastic bakjes uit de koelkast.

'Je hebt honger!' zei hij. 'Ik zal eens een goede Deense maaltijd voor je maken. Wacht maar af. Ga zitten.'

Ginny ging aan de tafel zitten. Hij maakte de bakjes open, waar misschien wel twintig verschillende soorten vis in zaten. Roze vis. Witte vis. Vis met groene kruidenspikkeltjes. Hij pakte een snee bruinbrood en legde daar een flinke berg vis op.

'Lekker spul!' zei hij. 'Allemaal biologisch, natuurlijk! En vers! We zorgen hier goed voor de aarde! Lust je gerookte haring? Vast wel. Natuurlijk wel!'

Hij zette de dik belegde visboterham voor haar neer.

'Ik werk met ijzer,' zei Knud. 'Hoewel ik ook een deel van die houtgravures heb gemaakt. Al mijn werk is gebaseerd op traditionele Deense kunst. Ik ben een Viking! Eet op!'

Ze probeerde de overvolle boterham op te pakken.

'Goed,' zei hij, 'je vraagt je vast af waar ik je tante van ken. Ja, Peg is hier geweest, een jaar of drie geleden inmiddels, denk ik. Op het kunstfestival. Ik mocht haar heel graag. Ze was erg levenslustig. Op een dag zei ze tegen me... Hoe laat is het? Vijf uur?'

Om de een of andere reden vermoedde Ginny dat dat niet tante Pegs meest memorabele uitspraak in Denemarken was geweest.

Knud gebaarde dat ze door moest eten en stapte toen door een deurtje bij zijn tweepitsfornuis naar buiten. Ginny at haar boterham op en keek over de gracht naar de rijen winkels aan de overkant. Toen richtte ze haar aandacht op een metalen schaal die op tafel stond. Knud was er zo te zien een ingewikkeld patroon in aan het etsen. Ongelooflijk dat zo'n grote man zulk priegelwerk kon doen.

Toen ze weer opkeek, waren de winkels waar ze kort daarvoor nog naar had zitten kijken, verdwenen. Ze hadden plaatsgemaakt voor een kerk, en ook die dreef nu weg. De vloer wiegde zachtjes onder haar voeten. Eindelijk drong het tot haar door dat het hele huis bewoog. Ze liep naar het raam en zag dat ze hun plaats langs de botenstoep hadden verlaten en snel door de gracht voeren.

Knud zwaaide het deurtje aan de voorkant open. Ze zag dat hij in een piepklein hokje stond, waarin de instrumenten en het bedieningspaneel van de boot zich bevonden.

'Wat vind je van de vis?' riep hij naar binnen.

'Lekker! Waar gaan we naartoe?'

'Naar het noorden! Maak het je gemakkelijk! Het duurt wel even!'

Hij sloot de deur.

Ginny maakte de deur open waar ze vanaf de stoep door naar binnen was gekomen, en zag daar nu alleen nog dertig centimeter dek en een balustrade op kuithoogte, die haar van het kolkende water scheidden. Er spatte water tegen haar benen. Knud voer nu nog sneller met zijn huis, want ze hadden inmiddels een breder stuk water bereikt. Ze gingen onder een enorme brug door. Voor de boot zag Ginny de zilverige zeestraat die tussen Denemarken en Zweden lag.

Ze was dus op weg naar het noorden. In een huis.

'Ik woon alleen,' zei Knud, 'en ik werk alleen, maar ik ben nooit echt alleen. Ik verricht het werk van mijn voorvaderen. Dagelijks beleef ik de volledige geschiedenis van mijn land en mijn volk.'

Ze hadden zeker twee uur gevaren, misschien zelfs langer. Uiteindelijk had Knud zijn huis aangemeerd bij een functionele pier die parallel liep aan een snelweg, vlak bij een veld vol slanke, hypermoderne windmolens. Hij was folkloristisch kunstenaar, zo had Ginny vernomen. Dat hield in dat hij ambachten bestudeerde die al meer dan duizend jaar oud waren en ze nieuw leven inblies. Hij gebruikte uitsluitend authentieke materialen en processen, en soms leverde dat hem authentieke verwondingen op.

Wat hij niet had uitgelegd, was waarom hij haar zojuist een heel eind met zijn woonboot naar het noorden had gebracht, om vervolgens bij een snelweg aan te meren. In plaats van een verklaring te bieden, maakte hij nog een paar boterhammen, waarbij hij nog eens benadrukte hoe goed en vers alle ingrediënten waren. Ze gingen naast de woonboot zitten om te eten.

'Peg,' zei hij. 'Ik heb gehoord dat ze is overleden.'

Ginny knikte en keek naar de woest ronddraaiende windmolens. Ze zagen eruit als dolgedraaide, uit de kluiten gewassen metalen madeliefjes. Erachter scheen een feloranje zon, die scherpe, zilverige lichtflitsen op de wieken deed weerkaatsen.

'Het spijt me dat te horen,' zei hij, terwijl hij zijn zware hand op haar schouder legde. 'Ze was heel bijzonder. En zij is de reden dat je hier bent, klopt dat?'

'Ze heeft me gevraagd bij je op bezoek te gaan.'

'Daar ben ik blij om. En ik denk dat ik wel weet waarom. Ja. Ik denk van wel.'

Hij wees naar de windmolens.

'Zie je dat? Dat is kunst! Prachtig. En nuttig. Kunst kan ook nuttig zijn. Daarmee wordt de wind getemd en schitterende, schone energie geproduceerd. Dat vond Peg prachtig. Dat heeft ze me verteld.'

'Waar ken je haar van?' vroeg Ginny.

'Ze logeerde bij een vriend van me in Christiana. Christiana is een kunstenaarskolonie in Kopenhagen.'

'Is ze hier lang gebleven?'

'Niet zo lang, denk ik,' zei hij. 'Ze was gekomen voor de windmolens. Om te zien hoe twee uitersten – kunst en moderne techniek – gecombineerd kunnen worden. Dus heb ik haar hiernaartoe gebracht. Om te laten zien waar we onze windmolens kweken!' Knud lachte. 'Ze was er uiteraard weg van. In dit alles zag zij een schitterend landschap. Als je hier komt, besef je dat de wereld zo slecht nog niet is. Hier zetten we de eerste stap naar een betere toekomst, waarin we onze omgeving niet vervuilen. We maken de velden mooi.'

Ze bleven een hele tijd zitten kijken naar de windmolens. Uiteindelijk opperde Knud dat Ginny maar eens terug naar de boot moest gaan om te slapen. Ze dacht dat ze geen oog dicht zou kunnen doen in die vreemde sfeer, maar al snel werd ze door het zachte schommelen van de boot in slaap gewiegd. Voor ze het wist, werd ze door een grote hand op haar schouder wakker geschud.

'Virginia,' zei Knud. 'Het spijt me. Maar ik moet zo weg.'

Ginny kwam met een ruk overeind. Het was ochtend en ze waren weer aangemeerd in Kopenhagen, op de plek waar ze waren begonnen. Een paar minuten later keek ze toe terwijl Knud op zijn motor stapte.

'Je komt er wel, Virginia,' zei hij met zijn hand op haar schouder. 'En nu moet ik weg. Veel succes.'

Daar stond ze, in de straten van Kopenhagen. Ze was weer alleen.

Hippo's

In elk geval was ze deze keer voorbereid.

Voor het geval haar weer hetzelfde zou overkomen als in Amsterdam, had Ginny online een paar plaatsen opgezocht waar ze kon overnachten. Op alle websites werd dezelfde jeugdherberg van harte aanbevolen: Hippo's Beach. Die kreeg vijf rugzakjes, vijf badkuipjes, vijf feestmutsjes en twee duimen van de grondigste website, wat inhield dat het zo'n beetje het Ritz onder de jeugdaccommodaties was.

De jeugdherberg was niet erg groot: het was gewoon een lichtgrijs, onopvallend gebouw met een paar tafeltjes met parasols ervoor. Het enige wat er ongewoon aan was, was de grote, roze nijlpaardenkop die met wijd opengesperde bek boven de voordeur uitstak. De bek was met allerlei dingen volgestopt: lege bierflesjes, een bijna lege strandbal, een Canadese vlag, een honkbalpetje, een plastic haaitje.

De foyer was versierd met papieren palmbomen en zijden bloemenkransen. Om de balie was nepbamboe met een afbeelding van een *tiki* gewikkeld. Het meubilair was erg jaren tachtig: felgekleurd met geometrische patronen. Overal hingen slingers met Chinese papieren lantaarns.

De man achter de balie had een volle witte baard en droeg een feloranje hawaïhemd.

'Hebt u nog bedden beschikbaar?' vroeg ze.

'Aha!' zei hij. 'Mooi meisje met krakelinghaar. Welkom in de beste jeugdherberg van heel Denemarken. Iedereen vindt het hier geweldig. Jij zult het hier ook geweldig vinden. Nietwaar?'

Dat laatste was gericht tegen een groepje van vier dat net met allemaal boodschappentasjes binnen was komen lopen. Het waren twee blonde jongens, een meisje met kort bruin haar en een Indiase jongen. Ze knikten glimlachend terwijl ze tassen vol harde broodjes, verpakte vleeswaren en kaas op een van de tafels gooiden.

'Dit is een pittig ding,' zei hij. 'Dat kan ik zo zien. Kijk maar naar die vlechten. Ik zet haar bij jullie op de kamer. Kunnen jullie haar voor me in de gaten houden. Maar goed. Een bed voor een week is negenhonderdvierentwintig kroon.'

Ginny verstijfde. Ze had geen idee wat een kroon was en hoe ze aan negenhonderdvierentwintig van die dingen moest komen.

'Ik heb alleen maar euro's,' zei ze.

'Dit is Denemarken!' brulde hij. 'We gebruiken hier kronen. Maar als het moet, wil ik ook wel euro's accepteren. Honderdzestig, graag.'

Schuldbewust overhandigde Ginny de verkeerde valuta. Terwijl ze daarmee bezig was, stak Hippo zijn hand onder de bar en maakte een koelkastje open. Hij pakte er een fles bier uit, die hij in ruil voor het geld aan Ginny gaf.

'Bij Hippo krijgt iedereen een koud biertje. Dit is voor jou. Ga zitten en drink het op.'

Het was vriendelijk bedoeld, maar Hippo leek niet anders te verwachten dan dat ze zich onvoorwaardelijk aan zijn gastvrijheid zou onderwerpen. Ginny pakte het flesje bier onzeker aan (hoewel ze begon te begrijpen dat samen een biertje drinken in Europa een soort universele manier van kennnismaken was). Het flesje was erg nat. Het etiket viel eraf en bleef aan haar handpalm plakken. De mensen aan het tafeltje, haar nieuwe kamergenoten, gebaarden dat ze zich bij hen moest voegen en boden aan hun aankopen met haar te delen.

'Ik ben pas in Amsterdam geweest,' zei ze, terwijl ze in haar rugzak zocht naar iets wat ze hun kon aanbieden. 'Ik heb nog heel veel koekjes, als jullie daar zin in hebben.'

De ogen van het meisje begonnen te stralen.

'Stroopwafels?' vroeg ze.

'Ja,' zei Ginny. 'Stroopwafels. Eet maar op. Ik heb er al veel te veel gehad.'

Ze zette de zak op tafel. Vier paar ogen staarden er eerbiedig naar.

'Ze is een boodschapper,' zei een van de blonde jongens. 'Een uitverkorene.'

Ze ontdekte dat de twee blonde jongens Emmett en Bennett heetten. Bennett en Emmett waren broers en zagen er bijna precies hetzelfde uit, met hun zongebleekte haar en lichtblauwe ogen. Emmett kleedde zich als een surfer, maar Bennett droeg een gekreukt overhemd met knoopjes. Carrie was ongeveer even lang als Ginny en had kort bruin haar. Nigel was Indiaas-Engels-Australisch. Het waren allemaal studenten uit Melbourne en ze reisden al vijf weken met een treinabonnement door Europa.

Na het eten namen ze Ginny mee naar hun slaapzaal, die in al even felle kleuren was ingericht: gele muren met felroze en paarse kringen langs het plafond, blauwe vloerbedekking en veldbedden van gladde, rode metalen buizen.

'Helemaal de stijl van 1983,' zei Bennett.

Hoe dan ook was het een vrolijke kamer, die duidelijk goed werd onderhouden. De anderen legden uit dat in de jeugdherberg de afspraak gold dat iedereen moest meehelpen met schoonmaken, dus elke dag had iedereen een taak die ongeveer een kwartier in beslag nam. In de gang hing een klembord met een takenlijst, dus wie het eerst op was, kon het lichtste klusje uitzoeken. Ze waren echter geen van alle erg zwaar. Hippo hanteerde geen avondklok en je hoefde niet voor een bepaalde tijd weg te zijn. Bovendien was er achter het gebouw een aangelegd strand, dat aan het water grensde.

Opnieuw werd Ginny aan een groepje opgedrongen. Vanaf het begin was één ding echter duidelijk: dit waren niet de Knapps. Hun beleid was als volgt: ze stonden op als ze daar zin in hadden en hadden geen idee hoe lang ze zouden blijven. Elke avond gingen ze uit. Ze overwogen binnenkort uit Kopenhagen te vertrekken, maar ze wisten nog niet goed waar ze naartoe wilden. Vanavond hadden ze heel bijzondere uitgaansplannen waar Ginny absoluut aan moest meedoen. Maar eerst moesten ze een tukje doen, nog wat stroopwafels eten en Ginny een bijnaam geven: Krakeling.

Daar kon Ginny mee leven. Ze kroop op haar veldbed, liet zich op het dunne matrasje vallen en viel in slaap.

Het magische koninkrijk

Er heerste grote opwinding in de kamer toen Ginny wakker werd.

'Daar gaan we!' zei Emmett. Hij klapte in zijn handen en wreef erin.

Carrie sloeg haar ogen ten hemel. 'Vraag maar niets,' zei ze. 'Het is een lang verhaal. Kom mee. Die idioten willen naar een of ander belachelijk iets.'

Kopenhagen, zo legden haar nieuwe vrienden onder het lopen aan haar uit, was het Disneyland van het bier. En de tent waar ze vanavond naartoe wilden, was de Toverberg van Kopenhagen.

Ze betraden een grote open zaal. Zodra ze aan een van de lange picknicktafels hadden plaatsgenomen, gebaarde Emmett naar een van de vrouwen dat ze vijf stuks wilden van wat ze bij zich had. De vrouw zette vijf grote glazen pullen op tafel. Carrie gaf er een door aan Ginny, die beide handen nodig had om hem op te tillen. Voorzichtig rook ze eraan voor ze een klein slokje nam. Ze was niet zo dol op bier, maar dit smaakte niet slecht. De anderen klokten tevreden hun eigen bier naar binnen.

Ongeveer een halfuur lang was er niets aan de hand, hoewel ze het gevoel had dat ze in een van de posters terecht was gekomen die bij haar op school in het Duitse lokaal hingen – wat nergens op sloeg, want dit was Denemarken. En ze was er vrij zeker van dat het twee heel verschillende landen waren.

Opeens gingen er achterin lampen aan en zag Ginny dat er aan die kant van de zaal een podium was. Een man met een fonkelend paars jasje ging bij een microfoon staan en sprak een poosje in het Deens. Iedereen werd helemaal enthousiast, behalve Ginny, die er niets van begreep.

'En nu,' zei de man in het Engels, 'hebben we een paar vrijwilligers nodig.'

Allemaal tegelijk schoten Ginny's nieuwe vrienden omhoog en begonnen woest op en neer te springen. Dat werkte aanstekelijk op de Japanse zakenlui die hun tafel deelden. Ook zij sprongen overeind en begonnen te roepen en te schreeuwen. Ginny, die als enige was blijven zitten, keek naar de tientallen lege pullen waarmee hun helft van de tafel bezaaid was.

De bandleider kon de internationale bijna-rel die in hun hoek was uitgebroken moeilijk negeren, dus wees hij met een groots gebaar naar hen.

'Twee mensen, graag!' zei hij.

Meteen werd besloten, door middel van wat geknik tussen de twee groepen, dat elke groep één iemand mocht afvaardigen, aangezien ze allemaal evenveel moeite hadden gedaan. De Japanse mannen vervielen in een ernstige discussie en Ginny's vrienden deden hetzelfde. Ginny ving flarden van het gesprek op.

'Ga jij maar.'

'Nee, jij.'

'Het was jouw idee.'

'Wacht,' zei Carrie. 'Als we Krakeling nou eens sturen?'

Ginny keek met een ruk op.

'Waarvoor?' vroeg ze.

Bennett glimlachte.

'Competitiekaraoke,' zei hij.

'Hè?'

'Kom op!' riep Emmett. 'Krakeling... Krakeling... Krakeling...'

De andere drie vielen hem bij. Toen gingen de Japanse zakenlui meedoen, die inmiddels ook een afgevaardigde hadden geselecteerd. Ook een paar mensen aan andere tafeltjes scandeerden mee, en binnen een mum van tijd riep iedereen in dat deel van de zaal haar naam. Allemaal in verschillende accenten, allemaal luidkeels, allemaal in een constant, beukend ritme.

Ginny betrapte zichzelf erop dat ze ongewild overeind kwam.

'Eh...' zei ze nerveus. 'Ik weet eigenlijk niet...'

'Geweldig!' schreeuwde Emmett, die haar naar het gangpad tussen de tafels manoeuvreerde. Een van de Japanse mannen trok zijn jasje uit en kwam bij haar staan.

'Ito,' zei de man. Tenminste, dat verstond Ginny. Hij sprak met dubbele tong en in het Japans, dus helemaal zeker wist ze het niet. Ito deed een stap opzij, zodat Ginny voorop kon lopen, hoewel ze dat liever niet wilde. De gastheer gebaarde dat ze naar voren moest komen, en het publiek klapte goedkeurend toen ze zich naar het podium begaf. Ito keek opgetogen, trok zijn stropdas los en danste in het rond, gebarend naar de omstanders dat ze moesten doorgaan met klappen. Ginny pakte zwijgend de hand die de gastheer haar bood om haar op het podium te helpen. Ze wilde in een hoekje gaan staan, maar hij leidde haar vastberaden naar de rand, waar Ito haar op haar plaats hield door zijn arm om haar schouder te slaan.

De gastheer riep in het Deens iets naar het publiek. Het enige woord dat Ginny kon onderscheiden, was 'Abba'. Hij haalde (zo te zien uit zijn jas) twee pruiken tevoorschijn – een woeste mannenpruik en een met lange blonde haren. Die met het lange blonde haar werd op Ginny's hoofd geduwd. Ito greep de andere en zette die scheef op. Uit de richting van de bar werd een zwarte boa gegooid. In eerste instantie eigende Ito zich hem toe, maar de gastheer rukte hem uit zijn handen en hing hem om Ginny's schouders.

Het werd donkerder in de zaal. Ginny wist niet of dat kwam doordat de lampen werden gedimd of omdat de dikke blonde pony van de pruik voor haar ogen hing. Haar vlechten staken er aan de voorkant onderuit als de haartentakels van een mutant. Snel probeerde ze ze onder de bobbel aan de achterkant van de pruik te duwen.

'Wat dachten we van "Dancing Queen"?' brulde de gastheer, in het Engels deze keer. 'Wat dachten we van "Mamma Mia"?'

Dat vond het publiek een goed idee, en geen enkele groep

was er zo enthousiast over als de Australisch-Japanse delegatie die Ginny naar het podium had gestuurd. De monitoren aan de rand van het podium gingen flakkerend aan. Er werden beelden vertoond van bergen en wandelende stellen.

Toen hoorde ze het eerste akkoord. Op dat moment drong het tot haar door.

Ze wilden haar laten zingen.

Ginny zong niet. Zeker niet nadat ze vijf dagen met de Knapps had doorgebracht. Ze zong nooit, punt uit. En op een podium staan, was al helemaal niets voor haar.

Ito begon, onhandig grijpend naar de microfoon. Hij glimlachte weliswaar, maar Ginny voelde zijn ambitie – hij wilde dit echt graag. Het publiek moedigde hem aan, klappend en stampend op de vloer. Ginny probeerde steeds op de achtergrond te verdwijnen, maar de gastheer duwde haar telkens weer naar voren. Dit was wel de laatste plek waar ze wilde zijn. Dit gebeurde niet echt. Dat kon niet.

En toch stond ze daar, op een podium in Kopenhagen, bedolven onder drie kilo nephaar. Het gebeurde wel degelijk, hoezeer haar brein ook zijn best deed om haar van het tegendeel te overtuigen. Sterker nog, ze stond al achter de microfoon, en honderden verwachtingsvolle gezichten waren naar haar opgeheven. Opeens hoorde ze het geluid.

Ze zong.

Het meest verbazingwekkende toen ze haar eigen stem door het café hoorde galmen, was nog wel dat het bijna goed klonk. Een beetje gespannen, misschien. Ze ging door tot ze buiten adem was, bleef aan één stuk door zingen tot haar stem brak.

'Nu stemmen we om de winnaar te bepalen!'

Die man schreeuwde werkelijk alles. Misschien was schreeuwen typisch Deens.

Hij pakte Ito's arm en tilde die op, waarna hij naar het publiek knikte dat ze hun gevoelens kenbaar mochten maken. Er werd behoorlijk hard gejuicht. Toen hief hij Ginny's arm.

Ze kreeg een koninklijke ontvangst toen ze terugkeerde naar haar tafeltje, met een constant buigende Ito op haar hielen. De

Japanse mannen hadden kennelijk een of ander onbeperkte onkostenrekening tot hun beschikking, want ze maakten duidelijk dat ze iedereen in de groep wilden trakteren. Meteen bestelden ze een hele tafel vol broodjes. Het bier bleef maar komen. Ginny dronk ongeveer een kwart van haar pul leeg. Carrie dronk twee hele leeg. Emmett, Bennett en Nigel sloegen er ieder drie achterover. Waarom ze niet ter plekke dood neervielen, was Ginny een raadsel, maar ze leken nergens last van te hebben.

Tegen twee uur 's nachts vertoonden hun nieuwe weldoeners de eerste tekenen van een dreigend collectief coma. Er werd een creditcard tevoorschijn gehaald en al snel schuifelden ze met z'n allen de straat op. Nadat ze elkaar gedag hadden gezegd en bedankt en er heel wat buigingen waren gemaakt, gingen Ginny en de Australiërs op weg naar de metro. Ze werden echter door een van de Japanse mannen tegengehouden.

'Nee, nee,' zei hij met dubbele tong en driftig nee schuddend. 'Ta-xi. Ta-xi.'

Hij stak zijn hand in zijn jaszak en haalde er een vuist vol keurig opgevouwen eurobiljetten uit. Die drukte hij Ginny in de hand. Ginny wilde het geld teruggeven, maar de man was vastbesloten. Het leek wel een omgekeerde beroving. Na een tijdje besloot Ginny dat ze maar beter kon toegeven. De andere mannen hielden taxi's aan, en al snel stond er een heel rijtje auto's te wachten. Ginny en de Australiërs werden in een uit de kluiten gewassen blauwe Volvo gestopt. Nigel stapte voorin. Emmett, Bennett, Ginny en Carrie persten zich op de brede, leren achterbank.

'Ik weet waar we logeren,' zei Emmett, die met een bedachtzaam gezicht tegen het portier leunde. 'Ik weet alleen niet hoe we er moeten komen.'

Nigel zei iets tegen de chauffeur in het gebrekkige, Australisch-klinkende Deens dat hij uit een boekje voorlas. De chauffeur draaide zich om en antwoordde: 'Kring rijden? Waar heb je het over? Wil je dat ik gewoon maar wat rondrij? Probeer je dat duidelijk te maken?'

Carrie legde haar hoofd op Ginny's schouder en dommelde in.

Bennett besloot vanaf zijn plaats midden op de achterbank aanwijzingen te geven, hoewel hij nauwelijks door de raampjes naar buiten kon kijken. Als hij een glimp opving van iets wat hij dacht te herkennen, zei hij tegen de chauffeur dat die moest afslaan. Helaas herkende Bennett zo'n beetje alles. De apotheek. Het café. Het winkeltje met de bloemen in de etalage. De grote kerk. Het blauwe uithangbord. De chauffeur liet het zich ongeveer een uur welgevallen, zette toen de auto aan de kant van de weg en zei: 'Vertel me waar jullie logeren.'

'Hippo's Beach,' zei Bennett.

'Hippo's? Dat ken ik wel. Natuurlijk ken ik dat wel. Waarom heb je dat niet meteen gezegd?'

Hij reed snel in de tegenovergestelde richting de straat weer op.

'Nu begint het me bekend voor te komen,' zei Bennett breed gapend.

Binnen vijf minuten waren ze er. De rit kostte vierhonderd kroon. Ginny wist niet zo goed hoeveel geld ze in haar handen had. Maar hoeveel het ook was, ze had het gekregen om de taxi van te betalen, en deze chauffeur had heel wat moeten slikken.

'Hier,' zei ze terwijl ze hem het hele bedrag gaf. 'Allemaal voor u.'

Ze zag hem tellen terwijl Carrie slaperig uit de taxi stapte. Hij draaide zich om en schonk haar een brede glimlach. Kennelijk had ze hem zojuist de gulste fooi van het jaar gegeven.

Hippo was nog wakker toen ze binnen kwamen stommelen. Hij zat aan een van de tafels Risk te spelen met twee heel geconcentreerd kijkende mannen.

'Zie je wel?' zei hij met een glimlach. 'Die met de krakelingen. Ik heb toch gezegd dat je met haar moest oppassen?'

_11_

Lieve Ginny,

Ik heb nooit een goed geheugen
gehad voor citaten. Ik probeer
ze altijd te onthouden, maar
het lukt me gewoon niet. Zo heb
ik een tijdje geleden een citaat
gelezen van Lau-tse, de
zenmeester. Hij gaat als volgt:
'Een voetafdruk wordt gemaakt door een schoen,
maar het is niet de schoen zelf.'

Veertien woorden. Je zou toch denken dat ik
zoiets wel kon onthouden. Ik heb mijn best
gedaan. En het is me ook wel gelukt — een
minuut of vier — maar toen werd het al snel:
'Geen enkele schoen mag op zijn afdruk worden
beoordeeld, want de voet heeft zijn eigen
afdruk.'

Zo bleef het in mijn gedachten hangen. En
dat, dacht ik, heeft geen enkele betekenis. Echt
helemaal niet.

Behalve in jouw geval, Gin. Misschien klopt
het in jouw geval wel. Want wat ik jou heb
laten doen (of wat je zelf hebt verkozen te
doen — je bent immers oud en wijs genoeg om
je eigen beslissingen te nemen), is mijn
voetstappen te volgen, de sporen die ik op
deze krankzinnige reis van mij heb
achtergelaten. Jij staat in mijn schoenen, maar
het zijn jouw eigen voeten. Waar ze je naartoe
zullen leiden, weet ik niet.

Slaat dat ergens op? Toen ik dit allemaal
bedacht, dacht ik van wel. Ik dacht dat je me
vreselijk slim zou vinden.

De reden dat ik het vraag, is dat ik je nu
wil opdragen dezelfde reis af te leggen als ik,
toen ik Kopenhagen verliet. Ik ben weggegaan
omdat het festival voorbij was en omdat ik
geen idee had wat ik met mezelf aan moest.

Soms, Gin, moet je in het leven je eigen weg zoeken, omdat er geen wegwijzers of bordjes zijn om op af te gaan. Dan kun je het beste gewoon een richting uitkiezen en rennen zo hard als je kunt. Aangezien je vanuit Scandinavië niet veel verder naar het noorden kunt, besloot ik naar het zuiden te gaan. Alsmaar verder naar het zuiden.

In dichte mist ben ik met de trein naar de kust gereisd. Vervolgens ben ik in Duitsland op een andere trein gestapt en *omlaag* gereden, door de bergen, tot in het Zwarte Woud. In verschillende steden ben ik uitgestapt, maar ik ben nooit verder gekomen dan de uitgang van het station. Daar draaide ik me elke keer weer om en nam een volgende trein naar het zuiden. Toen ik Italië had bereikt, besloot ik naar zee te gaan. Ik had een geweldig idee. Ik dacht: ik ga naar Venetië om mijn verdriet te verdrinken. Helaas staakte de vuilophaaldienst in Venetië, dus stonk het er naar rotte vis, en bovendien regende het. Mismoedig liep ik naar de rand van het water en dacht: en nu? Ga ik linksaf naar Slovenië? Misschien kan ik naar Hongarije vluchten en Hongaarse pasteitjes eten tot ik knap.

Toen zag ik een boot. Ik ging aan boord.

Als je je gedachten op een rijtje wilt zetten, Gin, is niets beter dan een lange, trage bootreis. Een goede, langzame veerboot die rustig de tijd neemt en die je de kans geeft om vlak bij de kust van Italië lekker in de zon te bakken. Vierentwintig uur lang heb ik op die boot gezeten. In mijn eentje heb ik op een plakkerige ligstoel zitten nadenken over alles wat ik de voorafgaande paar maanden had gedaan. En zo tegen het drieëntwintigste uur, toen we tussen de Griekse eilanden door voeren, bereikte ik een doorbraak, Gin. Opeens

werd alles me duidelijk. Zo duidelijk als het
eiland Korfu, dat voor ons opdoemde. Ik besefte
dat ik een hele tijd daarvoor mijn
lotsbestemming al had gevonden, maar was
vergeten te blijven stilstaan. Mijn toekomst
lag achter me.

Probeer het zelf maar eens, Gin. Vertrek nu.
En ik bedoel ook echt nu. Zodra je deze brief
hebt gelezen. Ga rechtstreeks naar de trein.
Reis gestaag naar het zuiden. Volg de gele
klinkerweg helemaal tot aan Griekenland aan
het warme water, de bakermat van kunst,
filosofie en yoghurt.

Roep even als je op de boot zit.

Liefs,

je weggelopen tante

P.S. O, ga eerst even naar de winkel. Sla
snacks in. Dat is in alle aspecten van het
leven een goede basisregel.

De bende van de blauwe envelop

Het was twaalf uur de volgende dag, en ze zaten met z'n allen op Hippo's strandje bij te komen. Ginny zat in het koude, ondiepe laagje zand en kon de planken die het strand ondersteunden met haar vingertoppen net voelen. De hemel was grotendeels grijs, en overal om hen heen stonden Deense grachtenpanden en zevenhonderd jaar oude kantoren, maar iedereen deed alsof het voorjaarsvakantie in Miami was. Op het zand lagen mensen in badkleding te slapen. Een grote groep speelde volleybal.

Ginny schepte wat zand in de lege elfde envelop, schoof de brief er weer in en vouwde afwezig de flap dicht.

Toen wendde ze zich tot haar metgezellen en zei: 'Ik moet naar Griekenland. Een of ander eiland dat Korfu heet. En ik moet meteen weg.'

Emmett keek haar aan. 'Waarom móét je naar Griekenland?' vroeg hij. 'En waarom nu meteen?'

Dat was een heel redelijke vraag, die de aandacht van de anderen had getrokken.

'Ik heb allemaal brieven,' zei ze, terwijl ze de met zand gevulde envelop omhooghield. 'Van mijn tante. Het is een soort spelletje. Zij heeft me hiernaartoe gestuurd. In de brieven staat waar ik naartoe moet en wat ik moet doen, en als ik daarmee klaar ben, mag ik de volgende openmaken.'

'Dat meen je niet,' zei Carrie. 'Wat is jouw tante een tof mens! Waar is ze? Thuis of hier?'

'Ze... is er niet meer. Ze is overleden, bedoel ik. Maar dat geeft niet. Ik bedoel...'

Ze haalde haar schouders op ten teken dat ze de vraag niet vervelend vond.

'Zeg,' zei Bennett. 'Heb je dan heel veel brieven?'

'Dertien. Dit is nummer elf. Ik ben er bijna.'

'En je weet niet waar je naartoe gaat of wat je gaat doen tot je er een opent?'

'Nee.'

Dat nieuws sloeg in als een bom en leek bij de Australiërs het idee te versterken dat Ginny een heel bijzonder iemand was. Dat was een eigenaardig gevoel, maar niet onprettig.

'Mogen we mee?' vroeg Carrie.

'Mee?'

'Naar Griekenland. Met jou.'

'Willen jullie dan mee?'

'Griekenland klinkt goed. Hier hebben we het toch wel gezien. We kunnen best wat zon gebruiken. We hebben een treinabonnement. Dus waarom niet?'

Al snel was alles in kannen en kruiken. Tien minuten later hadden ze het zand van hun lichaam terug op Hippo's strandje geklopt en liepen ze naar binnen om hun spullen te pakken. Binnen twintig minuten waren ze in Hippo's zitkamer online om plaatsen in de trein te reserveren. Omdat Bennett, Emmett, Nigel en Carrie allemaal een Eurailpas hadden, konden ze alleen bepaalde treinen op bepaalde tijdstippen nemen. En aangezien zij met z'n vieren waren en Ginny in haar eentje, gingen hun behoeften voor. Hun route voerde hen door Duitsland en een klein stukje door Oostenrijk, waarna ze Italië binnen zouden rijden om uiteindelijk bij Venetië te stoppen. De reis zou vijfentwintig uur in beslag nemen.

Binnen een halfuur hadden ze in een Kopenhaagse supermarkt een mandje gevuld met fruit, flesjes water, piepkleine kaasjes met een wassen laagje eromheen, koekjes... Alles wat ze konden bedenken om de vijfentwintig uur in de trein door te komen. En anderhalf uur later waren ze vanuit Kopenhagen op weg naar een ander Deens stadje, Rødbyhavn, een naam die Ginny niet eens probeerde uit te spreken. Het plaatsje leek uitsluitend te bestaan uit de veerbootterminal, een groot, tochtig gebouw. Daar namen ze een veerbootje naar Puttgarden in

Duitsland, een reis van ongeveer drie minuten. In Puttgarden wachtten ze op een verlaten treinperron op een modern uitziende trein, die stopte om hen te laten instappen. Ze persten zich in een groep stoelen die voor vier personen was bedoeld.

In Ginny's ogen was Duitsland een Pizza Hut in Hamburg, waar ze haar gehemelte verbrandde omdat ze te snel at. In Frankfurt raakten zij en Carrie verdwaald terwijl ze op zoek waren naar de dames-wc. Toen ze in München moesten rennen om de trein te halen, liep Nigel per ongeluk een oude dame ondersteboven.

Voor de rest was er alleen maar de trein. In haar verdwaasde toestand herinnerde ze zich dat ze door het raam had gekeken naar een helblauwe hemel met in de verte hoge, grijze bergen met witte toppen. Toen waren er kilometers lang alleen maar weilanden en akkers vol lange, slanke grassoorten en paarse bloemen te zien. Drie plotselinge onweersbuien. Tankstations. Kleurige huisjes die rechtstreeks uit *The Sound of Music* afkomstig leken te zijn. Rijen saaie bruine huizen.

Na het twaalfde uur begon Ginny het vermoeden te krijgen dat ze, als ze nog langer voorovergebogen bleef zitten met Carries jas achter haar hoofd, er de rest van haar leven krom als een garnaal bij zou lopen. Ergens in wat volgens Ginny het noorden van Italië moest zijn, begaf de airco het. Er werd een heldhaftige poging gedaan om de ramen te openen, maar zonder succes. Binnen de kortste keren bleef de warmte in de coupé hangen en ontstond er een vaag, maar vies geurtje. De trein ging langzamer rijden. Er werd iets omgeroepen over een of andere staking. Er werd om geduld verzocht. De geur werd stank.

Wel een halfuur lang stonden ze helemaal stil, en toen ze eindelijk weer gingen rijden, verzocht de conducteur alle reizigers vriendelijk om geen gebruik te maken van de wc.

In Venetië aangekomen hadden ze nog maar een kwartier over en geen idee waar ze waren. Ze volgden de bordjes naar de uitgang. Op straat persten ze zich in een kleine, onopvallende taxi en voor ze het wisten, scheurden ze voor hun gevoel met tweehonderd kilometer per uur door de stille straten. Door het open raampje kwam een krachtige zeebries naar binnen die Ginny's gezicht teisterde en haar ogen deed wateren.

Het volgende moment stapten ze allemaal aan boord van een groot rood schip.

Ze waren dekpassagiers. Dat hield in dat ze op een stoel in de lounge konden gaan zitten (allemaal bezet), of op een stoel op het dek (allemaal bezet) of op het dek zelf. En zelfs daar was niet veel ruimte meer over. Ze moesten twee keer een rondje lopen over de boot voor ze een klein strookje dek tussen een reddingsboot en een muur hadden gevonden. Ginny ging liggen en strekte zich zo ver mogelijk uit, genietend van de openlucht.

De middagzon scheen recht in haar gezicht toen ze wakker werd. De hitte drong door haar oogleden heen. Haar gezicht was ongelijkmatig verbrand, dat kon ze voelen. Ze stond op, rekte zich uit en liep naar de reling van het schip.

Het schip waar ze op zaten, was er een uit de 'supersnelle lijn', maar deed zijn naam geen eer aan. Ze ploeterden zo langzaam door het water dat zeevogels gemakkelijk even op het dek konden uitrusten, om vervolgens weer weg te vliegen. Het water onder de boeg was kraakhelder en turquoise, een kleur waarvan ze nooit zou hebben geloofd dat water die kon hebben. Ginny haalde de overgebleven enveloppen uit haar zak en hield ze stevig vast (niet dat ze zouden wegwaaien, er stond bijna geen wind). Aan het elastiekje had ze niets meer. Het hing slapjes om de laatste twee brieven. Ginny pakte de twaalfde envelop en wikkelde het elastiekje om haar pols.

De tekening op deze envelop had ze voorheen niet kunnen thuisbrengen. Het leek een beetje op de rug van een paarse draak, die uit de onderste rand van de envelop omhoogstak. Nu ze zich echter op het water bevond, begreep ze precies wat het moest voorstellen: een eiland. Een vreemde afbeelding van een eiland, weliswaar, een beetje vlekkerig en in een volkomen verkeerde kleur. Maar het was onmiskenbaar een eiland.

Ze verbrak het zegel en haalde de brief eruit.

Ginny,

Harrods is typisch iets wat je
volgens mij alleen in Engeland
zult vinden. Het is in een
prachtig oud gebouw gevestigd.
Het is traditioneel. Het heeft een
bizarre indeling en je kunt er
eigenlijk nooit vinden wat je
zoekt — maar als je goed genoeg kijkt, zul je
merken dat ze alles hebben wat je hartje
begeert.

Zoals Richard Murphy.

Zie je, Gin, toen ik in Londen aankwam,
gierde de adrenaline nog door mijn aderen. Na
een paar dagen drong echter tot me door dat
ik geen huis, geen werk en geen geld had — en
dat is geen beste combinatie.

Je weet hoe ik ben... Als alles tegenzit, ga
ik graag de prachtigste, duurste spullen
passen. Daarom ging ik naar Harrods. De hele
dag heb ik me op de afdeling cosmetica laten
opmaken, peperdure jurken gepast en parfum
uitgeprobeerd. Na een uur of acht drong
eindelijk tot me door dat ik, een volwassen
vrouw, als een klein kind doelloos door een
winkel liep te zwerven. Een klein kind dat
in een opwelling van huis was weggelopen. Ik
had iets heel ernstigs, mogelijk rampzaligs
gedaan.

Inmiddels was ik op de voedselafdeling. Ik
zag een lange man in een pak, die een mandje
vulde met wel vijftig potjes peperdure
Afrikaanse honing. Ik dacht bij mezelf: wie
doet nou zoiets? Dus heb ik het hem gevraagd.
Hij vertelde me dat hij kerstmandjes voor Sting
aan het samenstellen was. Ik maakte een of
ander afgrijselijk grapje over honing en
bijensteken, en toen... barstte ik in tranen

uit. Ik huilde om mijn hele stomme leven, de
omstandigheden waarin ik me bevond en de
Afrikaanse honing van Sting.

Het spreekt voor zich dat de man nogal
schrok. Maar hij reageerde heel lief, zette me
op een stoel en vroeg wat eraan scheelde. En
ik legde uit dat ik een verdwaalde, dakloze
Amerikaanse jojo was. Toevallig had hij een
logeerkamer te huur. Hij wilde net een
advertentie gaan plaatsen. Hij wist het goed
gemaakt: ik mocht er gratis wonen tot ik wat
meer geld had.

Je bent niet dom, dus je had vast al
begrepen dat de man in kwestie Richard was.
Diezelfde dag trok ik in zijn logeerkamer.

Volgens mij kan ik wel raden wat je nu
denkt. Je denkt: ja, hallo, tante Peg. Welke man
zou er nu geen misbruik maken van een debiele
vrouw die het meisje in nood uithangt? En dat
is een goede vraag. Ik geef toe dat ik een
risico nam. Maar om de een of andere reden
vertrouwde ik Richard meteen, al vanaf het
eerste moment. Richard is heel anders dan de
verrukkelijke idioten met wie ik me gewoonlijk
omring. Richard is praktisch. Richard wil graag
een vaste baan en een overzichtelijk leven.
Richard begrijpt eigenlijk niet waarom ze
muurverf in andere kleuren dan wit maken.
Richard is betrouwbaar. Richard heeft
bovendien nooit om een dubbeltje huur
gevraagd.

Binnen de kortste keren was ik helemaal
verkikkerd op hem. En hoewel hij het subtiel
probeerde aan te pakken, kon ik merken dat hij
mij ook leuk vond. Na een tijdje besefte ik dat
ik van hem hield.

Een paar maanden lang was het allemaal heel
gezellig. We deden nooit iets met onze
gevoelens. Ze waren er gewoon, onder de

oppervlakte. Je kon het merken aan de manier waarop we elkaar de afstandsbediening doorgaven of dingen zeiden als: 'Hoor ik nou de telefoon?' Ik vertelde hem dat ik altijd had gedroomd van een zolderatelier in Europa, en weet je wat hij deed? Hij vond een oude opslagruimte op een van de bovenste verdiepingen van Harrods. Elke dag smokkelde hij me naar binnen, zodat ik kon schilderen en al mijn werk daar in een kast kon bewaren.

Op een avond deed hij echter het ergste wat hij wat mij betrof had kunnen doen: hij vertelde me wat hij voor me voelde.

Een aardig, normaal, verstandig mens vindt het waarschijnlijk fantastisch om te horen dat de geweldige man op wie ze verliefd is ook van haar houdt. Ik ben echter niet zo iemand, dus reageerde ik nogal raar. Op een dag, terwijl hij aan het werk was, heb ik mijn spullen gepakt en ben weggegaan. Maandenlang ben ik weggeweest, op reis langs de route die jij hebt afgelegd. Toen ik echter te horen kreeg dat ik ziek was, klopte ik bij Richard aan. Richard heeft voor me gezorgd. Richard brengt me blikjes cola en ijs terwijl ik deze brieven zit te schrijven. Hij zorgt ervoor dat ik op de juiste momenten mijn medicijnen neem, want soms raak ik de draad een beetje kwijt.

Nog maar één envelop te gaan, Gin. In die brief staat een heel belangrijke taak — de belangrijkste van allemaal. Omdat het zo'n grote, serieuze klus is, laat ik het helemaal aan jou over wanneer je de brief leest en de verantwoordelijkheid op je neemt.

Liefs,

je weggelopen tante

P.S. Ga nou niet overal met vreemde mannen mee naar huis die vragen of je bij hen wilt komen wonen. Dat is niet de moraal van dit verhaal. En trouwens, je moeder zou het me nooit vergeven.

De rode scooter

Terwijl Carrie gretig de twaalfde brief verslond, hield Ginny de dertiende envelop tegen het licht van de Griekse zon omhoog. (Was hij Grieks? Was hij Italiaans? Was hij überhaupt van iemand?) Door het papier heen kon ze niet veel zien. De brief was niet veel dikker dan de andere. Twee blaadjes, zo te voelen. En de tekening op de envelop was nauwelijks een tekening te noemen: het was het getal 13 en de cijfers zagen eruit alsof ze met een reuzentypmachine waren gemaakt.

'Nou?' zei Carrie, die de brief die ze net had gelezen, opvouwde. 'Maak je hem niet meteen open? Hier staat dat dat mag.'

Ginny ging zitten en leunde achterover, waarbij ze haar hoofd stootte tegen de roeiriem die aan de zijkant van de reddingsboot zat.

'En je wilt hem natuurlijk zo snel mogelijk openmaken,' ging Carrie verder. 'Niet dan?'

Ginny grabbelde in de boodschappentas. Het enige wat haar wel lekker leek, was zo'n minikaasje. Maar ze moest eerst de rode was eraf knagen, dus tegen de tijd dat ze eindelijk bij de lekkere kaas was, had ze de smaak van kaarsvet in haar mond en was haar trek verdwenen. Ze legde het kaasje weg. Een van de jongens zou het straks wel opeten.

'Zijn gefrituurde uienbloesems echt een Australisch gerecht?' vroeg ze.

Carrie sprong overeind en ging op Ginny's benen zitten. Daarbij duwde ze de boodschappentas opzij.

'Ah, kom op nou! Maak open!'

'Ik snap het niet,' zei Ginny. 'In het begin was het allemaal nog vrij logisch. Toen werd het opeens heel willekeurig. De man die ik in Amsterdam moest opzoeken, was er niet eens. En vervolgens heeft ze me helemaal voor niets naar Denemarken gestuurd.'

'Er was vast wel een reden voor,' zei Carrie.

'Ik weet het niet. Soms was mijn tante een beetje gek. Ze probeerde graag uit waartoe mensen allemaal bereid waren.'

'Nou, je kunt een heleboel vragen beantwoorden door die laatste brief open te maken en hem te lezen.'

'Weet ik.'

Er stond iets ingrijpends in die laatste brief. Iets wat ze niet wilde weten. Ze kon het dwars door het papier heen voelen. Die brief bevatte heel veel.

'Ik maak hem open als we er zijn,' zei ze. Ze duwde Carrie zachtjes van haar knieën. 'Beloofd.'

Ginny's lichaam was gewend aan beweging, dus toen ze zich uren later realiseerde dat de boot stillag, viel lopen haar behoorlijk zwaar. Ze wankelde een beetje, waardoor ze tegen Bennett opbotste. Ze gingen in de rij staan met hun versufte, al even verwarde medepassagiers en kort daarna, vlak voor de dageraad, stonden ze aan land.

De haven was een somber ogende verzameling betonnen gebouwen. Omdat ze weer niet precies wisten waar ze waren, namen ze een taxi die bij het havenkantoor stond te wachten. Emmett praatte even met de chauffeur en gebaarde toen naar de anderen dat ze moesten instappen.

'Waar gaan we naartoe?' vroeg Carrie.

'Geen flauw idee,' zei hij. 'Ik heb gezegd dat we ergens in de buurt naar een mooi strand willen en dat we niet meer dan drie euro per persoon kunnen missen.'

In eerste instantie zag het land aan weerszijden van de weg er kaal en onherbergzaam uit, vol rotsblokken en taaie plantjes die het goed deden bij extreem hoge temperaturen en in grove zandgrond. Toen maakten ze een bocht naar een hoge weg boven een gigantisch strand. Vóór hen lag een dorpje dat net begon te ontwaken. Er werden stoelen voor de cafeetjes gezet. In de verte zag Ginny vissersbootjes.

De chauffeur liet hen er aan de kant van de weg uit, wijzend naar een trap die uit de flank van een klip aan de rand van het water was gebeiteld. Het zand aan de voet ervan was wit en het strand was verlaten. Ze liepen over de brede treden omlaag, zich vastklampend aan de rotsachtige wand. Zodra ze het strand hadden bereikt, lieten de jongens zich languit op het strand vallen om te slapen. Carrie keek Ginny met opgetrokken wenkbrauwen aan.

'Ik maak hem zo meteen open,' zei Ginny. 'Ik wil eerst even rondlopen.'

Ze lieten hun rugzakken liggen, klommen over een groot rotsblok en kwamen uit in een ondiepe, lage grot aan het water. Carrie trok meteen haar shirt uit.

'Ik ga zwemmen,' zei ze, prutsend aan de haakjes van haar beha.

'Naakt?'

'Kom op!' zei Carrie. 'We zijn in Griekenland. Er zijn maar een paar mensen in de buurt, en die slapen.'

Zonder te wachten tot Ginny een besluit had genomen, en zonder enige aarzeling, trok Carrie al haar kleren uit en liep naar het water. Ginny dacht er even over na. Ze moest zich scheren, en nodig ook. Aan de andere kant voelde ze zich erg smerig, en zo te zien was het water heerlijk. Trouwens, haar ondergoed leek best een beetje op een bikini. Dan hield ze dat maar gewoon aan. Ze trok snel haar kleren uit en rende het water in.

Het leek wel een warm bad. Ze liet zich onder water zakken en keek naar haar vlechten, die als voelsprieten boven haar hoofd dreven. Toen stak ze haar hoofd boven het oppervlak uit en ging op de bodem zitten, zodat de golven over haar heen sloegen. Carrie was duidelijk veel te lang beperkt geweest in haar bewegingsvrijheid en dook steeds de brekende golven in. Als je haar zo zag genieten van haar naaktheid, leek ze zo onschuldig als een kleuter.

Toen er genoeg golven over haar heen waren geslagen, trok Ginny zichzelf overeind uit de geul waar ze in weg dreigde te zakken en zwom terug naar de rots. Al snel kloste Carrie het water uit en liet zich in het zand vallen.

'Ik voel me net een oude Griek,' zei ze.

'En als ze nou wakker worden?' vroeg Ginny.

'Wat? Die drie? Ze zijn al twee dagen wakker en hebben gisteren de hele avond bier gedronken. Die slapen overal doorheen.'

Ze hoefden niet zo nodig te praten. Het was zo'n fijne ochtend dat ze gewoon zwijgend van de zon konden genieten, zonder verder iets te hoeven. En als Ginny eraan toe was, zou ze de laatste brief openmaken.

Op de weg die boven hen langs liep, zag Ginny een stel rugzaktoeristen op een scooter voorbijflitsen. Carrie keek op en volgde ze met haar blik.

'Vrienden van me zijn vorig jaar hier geweest, en toen hebben ze scooters gehuurd,' zei ze. 'Dat schijnt de beste manier te zijn om de eilanden te verkennen. Misschien moeten we er ook maar een huren.'

Ginny knikte. Het leek haar leuk om op een scooter rond te rijden.

'Ik heb honger,' zei Carrie. 'Ik ga wat te eten uit mijn rugzak halen. Ben zo terug.'

'Ga je je niet eerst aankleden?'

'Nee.'

Even later hoorde Ginny Carries stem aan de andere kant van de rots. Ze merkte meteen dat er iets mis was.

'Waar hebben jullie hem neergelegd? Dit is niet grappig.'

Dat trok Ginny's aandacht. Ze klauterde boven op de rots en zag Carrie, die nog steeds naakt was (hoewel ze wél een handdoek tegen zich aan had gedrukt), op een eigenaardige manier rondlopen. Alsof ze een beetje hysterisch was. Ginny liet zich weer omlaag glijden, kleedde zich aan en raapte Carries spullen bij elkaar.

Even had ze het gevoel dat het een grap was waar ze als buitenstaander niets van begreep, maar aan de gezichten om haar heen zag ze meteen dat dat niet zo was. De tranen biggelden over Carries wangen en de jongens keken slaperig, maar heel ernstig.

Ginny zag dat er maar drie rugzakken lagen: de drie waar de jongens hun hoofd op hadden gelegd toen ze gingen slapen. Die van Carrie en Ginny waren nergens te bekennen.

'O jezus,' zei Carrie, die nog steeds hysterisch heen en weer draafde. 'Nee. Nee. Dit kán niet waar zijn.'

'We gaan wel zoeken,' zei Bennett keer op keer.

Toen Ginny besefte wat er was gebeurd, begon ze bijna te lachen.

De jongens op de scooter. De rugzaktoeristen. Het waren dieven. Ze hadden hen waarschijnlijk vanaf de weg in de gaten gehouden, en toen waren ze naar beneden gelopen om de rugzakken te stelen. En zij en Carrie stonden erbij en keken ernaar.

Alles was weg. Al haar vochtige, stinkende kleren. En alle enveloppen. Inclusief de laatste ongeopende. De verklaring waar ze op zat te wachten, was net op een scooter langs een Griekse heuvel omhoog gesjeesd.

'Ik ga weer zwemmen,' zei ze. Ze stak haar hand in haar broekzak en haalde de enige twee dingen die ze nog bezat eruit: haar paspoort en haar pinpas. Die had ze daar in een van de treinen voor de zekerheid in gestopt. Ze gaf ze aan Emmett en liep naar het water.

Deze keer hield ze gewoon alles aan terwijl ze de warme golven in liep. Ze voelde haar shirt en korte broek als ballonnen opbollen toen het dieper werd, en toen het water zich terugtrok, kleefden haar kleren aan haar lichaam. Het grijs en lavendelblauw van de ochtend brandde snel weg en boven haar bloeide een helblauwe hemel op. De zee was al even blauw en helder. Sterker nog, ze kon de horizon nauwelijks onderscheiden. Ze was in het water en het water was in de lucht – het leek een beetje of ze aan het begin en het eind van de wereld stond.

Na een paar minuten waadde Nigel achter haar aan.

'Gaat het wel?' vroeg hij bezorgd.

Ginny begon te lachen.

De enige pinautomaat op Korfu

Het duurde ongeveer een uur voor Carrie ophield met razend en tierend heen en weer lopen over het strand. Toen klommen ze (met een aanzienlijk lichtere last) via de trap die in het zandkleurige steen was uitgehakt naar de weg. Ze liepen terug in de richting van het dorp. Tenminste, dat hoopten ze. Er was niets wat erop wees dat ze de goede kant op gingen, behalve dat er daar meer hibiscus groeide en Emmett dacht dat hij een eindje verderop iets zag wat op een telefooncel leek. Het bleek een rots te zijn, maar Ginny begreep zijn vergissing wel. Hij was inderdaad een beetje rechthoekig.

De zon was met verbazingwekkende snelheid gestegen. Door de hitte, hun uitputting en het feit dat Carrie af en toe in tranen uitbarstte, kwamen ze slechts met pijn en moeite vooruit. Na een tijdje zagen ze in de verte grote moderne hotels, witte kerken en huizen op hoge toppen die boven het water uitstaken. Ongeveer anderhalve kilometer verderop stonden wat gebouwen aan de weg. Het bleek niet Korfu-Stad te zijn, maar een dorpje met een paar kleine hotels en restaurants.

Alles was wit. Oogverblindend fel wit. Alle gebouwen. Alle muren. Zelfs de stenen waarmee de straat was geplaveid, waren wit geschilderd. Alleen de deurposten en de ramen met de luiken ervoor waren rood, geel of blauw, waardoor ze op je af leken te komen. Ze liepen over een smal paadje met aan weerszijden boompjes die eruitzagen alsof iemand ze bij de bovenste takken had vastgepakt en er kurkentrekkers van had gedraaid. Ze hingen vol met groene vruchtjes, waarvan er een paar op de stenen kapot waren gevallen. Nigel vertelde vrolijk dat het olijfbomen waren, en Carrie beet hem een stuk minder vrolijk toe dat hij zijn mond moest houden.

Ginny raapte een gebarsten olijf op van de grond. Ze had nog nooit zo'n olijf gezien. Het leek wel een limoentje, met een keiharde schil. Hij leek helemaal niet op die kleine bolletjes met de rode spikkels die je in een glas martini hoorde te doen.

Niets was zoals het hoorde.

Er stond een slaperige taverna met een paar terrastafeltjes. Dankbaar lieten ze zich op de stoelen zakken, en al snel stond hun tafeltje vol met borden spinaziepastei, schaaltjes met yoghurt en honing en kopjes koffie. Er was ook vers vruchtensap, lauw en vol vruchtvlees. Ginny legde haar paspoort en pinpas naast haar bord. Vreemd. Ze namen bijna geen ruimte in beslag, en toch kon ze daarmee door heel Europa reizen. Meer had ze eigenlijk niet nodig.

Carrie begon weer te huilen toen ze Ginny's spullen zag en eraan werd herinnerd dat zíj ze niet meer had. Ze had helemaal niets. Zonder paspoort kon ze nergens naartoe. Ze kon niet op een vliegtuig stappen. Ze kon niet op een veerboot stappen. En, zo snikte ze, haar armen waren nét niet sterk genoeg om helemaal naar het Griekse vasteland te zwemmen, laat staan naar Australië.

Ginny stopte haar spullen snel terug in haar natte broekzak, liet honing in de dikke yoghurt druipen en roerde geconcentreerd. Ze had vreselijk medelijden met Carrie, maar de situatie leek heel onwerkelijk. Het leek net of ze een gedeeltelijke lobotomie had ondergaan (als dat mogelijk was). Hoe dan ook was het een plezierig gevoel. Ze luisterde naar de jongens, die probeerden te bedenken hoe ze Carrie vanuit Griekenland naar de andere kant van de wereld moesten krijgen. Uiteindelijk werden ze het erover eens dat ze naar de Australische ambassade moesten – niet dat ze wisten waar die stond. In Athene, waarschijnlijk.

Ginny staarde in de verte en zag een waslijn met inktvissen eraan, die hingen te drogen in de zon. Dat deed haar denken aan Richards wasmachine en de vreemde draaiknop met de letters. Welk programma gebruikte je om inktvissen te wassen? De I, waarschijnlijk.

'En jij, Gin?' vroeg Bennett, waarmee hij haar mijmeringen onderbrak over de juiste manier om zeedieren te wassen. 'Wat ga jij doen?'

Ginny keek op.

'Weet ik niet,' zei ze. 'Ik moet eerst maar eens wat geld pinnen.'

Het duurde even voor ze tussen de souvenirwinkeltjes en kerken een pinautomaat had gevonden. Hij stond in een winkel zo groot als de gemiddelde gang, waar je van alles kon kopen, van kikkererwten in blik tot badpakken die naar rubber roken. De pinautomaat was een losstaand kastje dat achterin onder een berg stoffige wegwerpcamera's stond. Hij zag er niet erg betrouwbaar uit, maar ze wist geen andere manier om aan geld te komen.

Ze vroeg om vijfhonderd euro. Het Griekse bericht dat op het scherm verscheen, zei haar niets, maar het getoeter betekende duidelijk dat ze dat wel kon vergeten. Ze probeerde vierhonderd euro. Weer getoeter. Ook toen ze om driehonderd en tweehonderd euro vroeg. Honderdnegentig dan? Nee dus. Honderdtachtig, honderdvijfenzeventig, honderdzestig, honderdvijftig, honderdvijfenveertig, honderddertig, honderdtien, negentig, vijfenzeventig, vijftig...

Uiteindelijk hoestte het apparaat veertig euro op en spuugde toen vol afschuw haar pinpas uit.

Ze kon maar één ding doen.

Ze had een telefoonkaart van maar vijf euro, dus veel tijd had ze niet, maar de telefonistes bij Harrods leken niet te begrijpen dat ze haast had. Om de zoveel tijd werd de wachtmuziek onderbroken door een elektronische stem die haar in het Grieks vertelde (zo vermoedde ze) dat de minuten snel wegtikten.

'Ginny?' hoorde ze Richard vragen. 'Waar zit je?'

'Op Korfu. In Griekenland.'

'Griekenland?'

'Inderdaad. Het probleem is dat ik geen geld meer op mijn

rekening heb en dat ik hier vastzit,' zei ze. 'En deze telefoon-kaart kan elk moment op raken. Ik kan niet terug.'

'Wacht even.'

Er klonk klassieke muziek uit de telefoon. Toen kwam er een stem die heel opgewekt iets in het Grieks zei. Weer moest Ginny raden wat het betekende. Ze was er vrij zeker van dat de stem haar niet welkom heette in Griekenland en haar een prettig verblijf toewenste. Dat werd bevestigd door een reeks korte piepjes. Tot haar opluchting kwam Richard weer aan de lijn.

'Kun je op het vliegveld van Korfu komen?'

'Dat denk ik wel,' zei ze. Toen besefte ze dat het geen kwes-tie van denken was. Ze moest naar het vliegveld, anders moest ze de rest van haar leven op Korfu blijven.

'Mooi. Ik bel onze reisagent en zorg dat je een ticket naar Londen krijgt. Het komt wel goed, oké? Ik regel alles.'

'Ik betaal je wel terug, of anders mijn ouders...'

'Ga nu maar naar het vliegveld. Dat regelen we later wel. Eerst maar eens zorgen dat je thuiskomt.'

Toen Ginny ophing, zag ze dat Carrie op een bankje aan de overkant van de straat door al haar vrienden werd getroost. Ze leek een beetje tot bedaren te zijn gekomen. Ginny stak over en ging bij hen zitten.

'Ik moet naar het vliegveld,' zei ze. 'Richard – een vriend van mijn tante – zorgt voor een ticket.'

'Dus je gaat weg, Krakeling?' vroeg Carrie. 'Terug naar Lon-den?'

Iedereen omhelsde haar meermalen, en ze wisselden e-mail-adressen uit. Toen hield Emmett een kleine, gedeukte Fiat aan die inderdaad een taxi bleek te zijn, zoals hij al dacht. Vlak voordat die wegreed, kwam Carrie bij het raampje staan. Ze huilde alweer.

'Hé, Krakeling,' zei ze terwijl ze naar Ginny toe boog. 'Maak je geen zorgen. Je komt er wel achter wat erin stond.'

Ginny glimlachte.

'Jij redt je wel, toch?' vroeg ze.

'Ja hoor.' Carrie knikte. 'Wie weet, misschien blijven we hier gewoon nog even. Ik kan nu toch nergens naartoe. Er zijn ergere plekken op de wereld.'

Nog een laatste handdruk, en toen reed de taxi weg. Ginny was op weg naar het vliegveld van Korfu.

De beleefde stewardess van British Airways bij de deur van het vliegtuig knipperde niet eens met haar ogen toen Ginny haar mooie, schone cabine in stapte. Alsof er elke dag verfomfaaide, stinkende, opgeschoten jongeren met lege handen met haar meevlogen. Zelfs later, toen Ginny alles aannam wat ze aanbood, vertrok ze geen spier. Ja, ze wilde wel een flesje water. En een blikje frisdrank, een broodje en een kopje thee. Koekjes, vochtige doekjes, notenkrakers, basketballen... Wat ze ook in haar zilverkleurige wagentje had, Ginny wilde het allemaal hebben. Twee stuks zelfs, als dat kon.

Toen haar vliegtuig op Heathrow landde, was het al donker in Londen. Deze keer stond er aan het eind van de tienduizend kilometer lange gang iemand op haar te wachten. Richard leek het niet erg te vinden om haar te omhelzen, al was ze te smerig voor woorden.

'Mijn hemel,' zei hij toen hij een stap achteruit had gedaan en haar eens goed had bekeken. 'Wat is er met jou gebeurd? Waar zijn je spullen?'

'Allemaal gestolen.'

'Alles?'

Ze stak haar handen in haar zakken en liet de enige twee dingen zien die ze nog bezat: het paspoort en de nutteloze pinpas.

'Nou ja,' zei hij, 'geeft niets. Zolang jou maar niets mankeert. We regelen wel nieuwe kleren voor je. En de brieven?'

'Die hebben ze ook meegenomen.'

'O... Hm. Het spijt me dat te horen.' Hij stak zijn handen in zijn zakken en knikte somber. 'Nou, kom op, dan gaan we naar huis.'

Het was druk in de metro, hoewel het al vrij laat was. Richard en Ginny werden tegen elkaar aan gedrukt. Ginny legde uit waar ze na Rome naartoe was geweest. Nu ze het allemaal op een rijtje zette, besefte ze pas hoeveel ze in die korte tijd – nog geen maand – had gezien en gedaan. Ze was Keith in Parijs tegengekomen. Ze was in Amsterdam opgezadeld met de Knapps. Ze was in Knuds huis naar het noorden van Denemarken gevaren.

'Mag ik je iets vragen?' viel Richard Ginny in de rede toen ze bijna aan het eind van haar verhaal was.

'Tuurlijk.'

'Je hoeft niets te zeggen als het te persoonlijk is of zo, maar... heeft Peg je iets verteld?'

Dat was een veel te vage vraag om te kunnen beantwoorden, en dat leek Richard ook te beseffen.

'Ik weet dat we niet veel tijd hebben gehad om te praten toen je hier een paar weken geleden was,' ging hij verder, 'maar er is iets wat je moet weten. Voor het geval je het nog niet weet. Of weet je het al?'

'Hè?'

'Kennelijk niet, dus. Ik probeerde het juiste moment te vinden om het je rustig te vertellen, maar dat lukte steeds niet. Vind je het erg als ik het nu doe?'

Ginny keek om zich heen naar de coupé.

'Nee,' loog ze.

'Ik denk dat ze dit aan het eind heeft uitgelegd,' zei hij, 'in de brief die je niet hebt gelezen. Je tante en ik waren getrouwd. Ze had medische zorg nodig. Niet dat dat de enige reden was, natuurlijk. Het ging daardoor alleen wat sneller dan het anders zou zijn gebeurd, misschien. Ze heeft me gevraagd niets te zeggen tot je alles had gelezen wat ze je had geschreven.'

'Getrouwd?' vroeg Ginny. 'Dan ben jij dus mijn oom.'

'Ja. Precies.'

Hij wierp haar een nerveuze blik toe. Ginny keek strak voor zich uit.

Op dat moment haatte ze tante Peg. Met heel haar hart en ziel. Het was niet haar schuld dat de envelop was gestolen, maar het was wél haar schuld dat ze hier was, dat Richard gedwongen was geweest om haar te redden en haar dingen uit te leggen waar hij zich duidelijk ongemakkelijk onder voelde. Het was beter toen het allemaal nog een mysterie was, toen tante Peg nog gewoon ergens had kunnen rondlopen. Toen was ze niet getrouwd. Toen had ze geen hersentumor. Toen was ze altijd op weg naar huis.

Op dat moment, toen ze op station Angel stopten, was tante Peg weg. Echt helemaal weg.

'Ik moet gaan,' zei ze. 'Bedankt voor alles.' Ze rende voor hem langs de deur uit.

Het weggelopen nichtje

Het enige voordeel als alles wat je hebt wordt gestolen, is dat reizen een stuk gemakkelijker wordt.

Ze volgde de busroute over Essex Road. De mensen om haar heen waren gekleed voor een avondje uit of kwamen net terug van hun werk. In beide gevallen zagen ze er 'netjes' uit, zoals Richard zou zeggen. Of 'schoon', zoals zij zou zeggen. Ze stonken niet naar vieze treinen en oude, natte kleren en waarschijnlijk hadden ze zich de afgelopen achtenveertig uur wel een keer gewassen.

Dat kon haar echter weinig schelen, ze liep gewoon door. Ze kon voelen dat ze haar gezicht had vertrokken in een vastberaden grimas. Pas na een halfuur besefte ze dat ze de drukke straten met de felverlichte winkels, café's en restaurants achter zich had gelaten en over de kleinere, smallere straatjes vol slijterijen en wedkantoren liep.

De route was in haar geheugen gegrift. Ze liep de straat in waar alle huizen op elkaar leken – allemaal hadden ze witte kozijnen en een platte gevel van dofgrijze steen. Halverwege het blok zag ze hem: de rode deur met het gele ruitje. De kromme, zwarte luxaflex achter het raam op de eerste verdieping was half omhooggetrokken. Er brandde licht. Toen ze dichterbij kwam, hoorde ze muziek.

Er was in elk geval iemand thuis. Keith kon het niet zijn. Die zat in Schotland. Ze was hier alleen naartoe gegaan omdat ze geen enkele andere plek in Londen wist die ze te voet kon bereiken. Behalve Harrods, en daar kon ze natuurlijk niet naartoe.

Misschien wilde David haar wel binnenlaten.

Ze klopte aan. Binnen stommelde iemand luidruchtig de trap af en de gang door.

Het was Fiona die de deur met een zwaai opende. Ze was nog kleiner en blonder dan de vorige keer, alsof ze was gebleekt en vervolgens te lang in de droger had gezeten.

'Is Keith er?' vroeg Ginny, nu al bang voor het 'nee' dat ongetwijfeld zou volgen.

'Keith!' gilde Fiona, waarna ze de deur zachtjes dicht liet vallen en op haar hoge hakken terug naar boven kloste.

Hij kwam met schuim om zijn lippen en een tandenborstel in zijn mondhoek aan de deur. Hij haalde de tandenborstel uit zijn mond, slikte moeizaam en veegde het pepermuntfrisse schuim met de rug van zijn hand af. Het was nauwelijks zichtbaar, maar Ginny durfde te zweren dat ze een zweem van een glimlach zag op het moment dat hij zijn hand weghaalde. Die verdween echter als sneeuw voor de zon toen hij haar opnam. Verfomfaaid, vies, met lege handen.

'Je bent niet in Schotland,' zei ze.

'De school heeft het verprutst. Toen we daar aankwamen, bleek dat we geen slaapplaats hadden en dat de helft van onze voorstellingen was afgelast. Je ziet eruit alsof je even moet zitten.'

Hij deed een stap achteruit om haar binnen te laten.

Keiths kamer zag eruit alsof er een bom was ontploft. De kratten en planken die voorheen als meubels hadden gediend, hadden plaatsgemaakt voor uitpuilende dozen vol papieren, halve scenario's en bergen boeken met titels als *Het theater van het lijden*. Keith stak de tandenborstel achter zijn oor en raapte de papieren op de bank bijeen om een plekje voor haar vrij te maken.

'Kom je net terug uit Amsterdam? Of ben je ergens anders verzeild geraakt?'

'Ik ben in Denemarken geweest,' zei ze. Het leek een eeuwigheid geleden, maar er waren sindsdien pas twee dagen verstreken. Of waren het er drie? Ze wist het niet meer zo goed.

'Hoe was het daar?' vroeg hij. 'Klote zeker? En hoe ben je zo bruin geworden?'

'O.' Ze keek naar haar armen. Die waren inderdaad bruin. 'Daarna ben ik in Griekenland geweest.'

'Tja, waarom niet? Dat ligt immers vlak naast de deur.'

Ze liet zich vallen op de plek die hij had vrijgemaakt. Deze bank werd alleen door de schuimvulling overeind gehouden, en die was zo versleten dat ze er bijna tot op de grond doorheen zakte.

'Wat is er met je gebeurd?' vroeg hij. Hij schopte wat boeken uit de weg om voor zichzelf een plekje op de vloer te creëren. 'Je ziet eruit alsof je net met een helikopter uit een rampgebied bent geëvacueerd.'

'Iemand heeft op het strand mijn rugzak gestolen. Dit is alles wat ik nog heb.'

Alle energie die haar dagenlang over land, over zee en door de lucht had gestuwd, was opgebrand, en het had niets opgeleverd. Nu was ze leeg, moe, en wist ze niet wat ze moest doen. Niemand vertelde haar waar ze naartoe moest en niets weerhield haar ervan om te vertrekken.

'Mag ik hier een poosje blijven?' vroeg ze. 'Mag ik hier blijven slapen?'

'Ja, natuurlijk,' zei hij. Zijn gezicht betrok. 'Gaat het wel?'

'Ik slaap wel op de grond of zo,' zei ze.

'Nee. Blijf daar maar liggen.'

Ginny liet zich achterover zakken en trok de dikke Star Warssprei van Keith, die op de rugleuning van de bank lag, over zich heen. Ze sloot haar ogen en luisterde naar hem terwijl hij zijn papieren opruimde. Hij keek naar haar, dat kon ze voelen.

'De brieven zijn weg,' zei ze.

'Weg?'

'Ze zaten in mijn rugzak. Ik had de laatste nog niet eens gelezen.'

Hij fronste zijn voorhoofd om aan te geven hoe erg hij dat vond. Ginny trok de sprei over haar neus. Die rook verbazingwekkend schoon en fris. Misschien rook in vergelijking met haar alles wel zo.

'Wanneer ben je teruggekomen?' vroeg hij. 'En hoe?'

'Nog maar net, eigenlijk. Richard heeft een vliegticket voor me geregeld.'

'Richard? Is dat die vriend van je tante bij wie je hebt gelogeerd?'

'Nou ja, hij is wel een beetje meer dan dat,' zei ze.

'Hoezo?'

Ze schoof wat verder omlaag op de bank.

'Hij is mijn oom.'

'Dat heb je me nooit verteld.'

'Omdat ik het niet wist.'

Keith ging naast de bank op de grond zitten en staarde haar aan.

'Hoe bedoel je, je wist het niet?'

'Ik heb het net pas gehoord. Ze waren getrouwd, maar alleen vanwege de ziektekostenverzekering of zoiets, want ze was toen al ziek. Maar ze vonden elkaar ook leuk. Het is nogal ingewikkeld...'

'En je hebt het net pas gehoord?'

'Richard heeft het me net verteld. En toen ben ik min of meer weggelopen.'

Ze probeerde die laatste woorden met de stof te dempen, maar hij leek ze toch te hebben gehoord.

'Ben je niet goed wijs?' vroeg hij.

Dat was een goede vraag.

'Niet doen,' zei hij. Hij trok de sprei omlaag. 'Je moet terug.'

'Waarom?'

'Luister,' zei hij. 'Die Richard geeft zo veel om je dat hij een vliegticket voor je heeft geregeld. Hij is met die gekke tante van je getrouwd omdat ze ziek was. Dat is heel bijzonder. Het is allemaal een beetje raar, dat geef ik toe, maar op hem kun je bouwen.'

Ginny ging rechtop zitten. 'Je snapt het niet,' zei ze. 'Eerst was ze nog niet dood. Ze was gewoon weg. Ik wist best dat ze dood was. Dat hebben ze me verteld. Maar ik heb haar nooit ziek meegemaakt. Ik heb haar niet zien sterven. En nu is ze dood.'

Nu had ze het voor elkaar. Nu had ze het gezegd. Nu sloeg

haar stem over. Ginny begroef haar vingers in de sprei. Keith kwam met een zucht naast haar zitten.

'O,' zei hij.

Ginny omklemde een stuk Death Star.

'Goed dan,' zei hij. 'Je mag hier blijven slapen, maar morgen breng ik je met de auto terug naar Richard. Afgesproken?'

'Ja, goed dan,' zei Ginny. Ze draaide zich met haar gezicht naar de rugleuning van de bank. Keith legde zachtjes zijn hand op haar achterhoofd en streek traag over haar haren terwijl ze in snikken uitbarstte.

De groene muiltjes en de dame op de trapeze

De reservesleutel van Richards huis lag in de barst in het stoepje voor haar klaar. Op tafel lag een briefje waarop stond: 'Ginny, als je dit leest, ben je dus teruggekomen, en daar ben ik blij om. Wil je alsjeblieft tot vanavond blijven zodat we kunnen praten?'

'Zie je wel?' zei Keith, die een losse cornflake zag en hem in zijn mond stopte. 'Hij wist dat je terug zou komen.'

Hij wandelde de keuken uit om de rest van het huis te bekijken. Voor de deur van Ginny's kamer bleef hij staan.

'Dat is mijn...' begon Ginny. 'Mijn... Het was de kamer van mijn tante. Ik weet dat het een beetje...'

'Heeft jouw tante dat allemaal geschilderd?' vroeg hij. Hij liet zijn hand over het spoor van cartoons glijden waarmee de muur was versierd en bukte toen om de patchwork sprei te bekijken. 'Te gek.'

'Ja, nou ja... Zo was ze.'

'Het doet me een beetje denken aan het huis van Mari,' zei hij.

Hij liep een rondje door de kamer om alle details in zich op te nemen en bleef staan bij de reproductie van Manet.

'Was dat haar lievelingsschilderij?' vroeg hij.

'Ze was er dol op,' zei Ginny. 'In haar appartement in New York had ze dezelfde poster hangen.'

Ze had die poster al heel vaak gezien... maar net als Piet had ze er nooit echt naar gekéken. Tante Peg had de gedachte erachter weleens uitgelegd, maar ze had het nooit helemaal begrepen. Nu ze het uitdrukkingsloze gezicht van het meisje te midden van alle activiteit en kleuren opnieuw zag... Nu zei het haar veel meer. Het beeld was veel tragischer. Er gebeurde van alles voor de neus van dat meisje, maar ze zag het niet, genoot er niet van.

'Als je ernaar kijkt,' zei ze, 'sta je op de plaats waar de kunstenaar hoort te zijn. Wat ze er het mooist aan vond, was dat de groene muiltjes in de hoek nooit iemand opvallen. Het is de reflectie van een vrouw die op een trapeze staat, maar je kunt alleen haar voeten zien. Tante Peg vroeg zich altijd af wat haar verhaal was. Ze had het altijd over die groene muiltjes. Zie je ze? Hier.'

Ginny ging op het bed staan en drukte met haar vinger linksboven in de hoek, waar de groene muiltjes net binnen het schilderij bungelden. Toen ze de poster aanraakte, voelde ze een bobbel onder de hoek, precies op de plek waar de groene muiltjes zaten. Ze streek over het oppervlak. Dat was helemaal vlak, behalve op dat punt. Ze peuterde aan de hoek. De poster zat met een soort kleverige, blauwe stopverf vast, die gemakkelijk loskwam toen Ginny het papier lostrok. Eronder zat een grotere klomp van dat blauwe spul.

'Wat doe je?' vroeg Keith.

'Er zit iets onder.'

Ze trok de hele hoek van de poster naar beneden. Allebei staarden ze naar de klodder blauwe stopverf en het sleuteltje dat erin was gedrukt.

Het sleuteltje lag tussen hen in op de keukentafel. Ze hadden het op alle sloten in het huis geprobeerd. Vervolgens hadden ze Ginny's kamer helemaal doorzocht, op zoek naar iets waar het in zou kunnen passen. Niets.

Nu konden ze dus niets anders doen dan theedrinken en ernaar staren.

'Ik had kunnen weten dat ik daar moest kijken,' zei Ginny. Ze legde haar kin op de tafel. Nu kon ze de kruimels van heel dichtbij zien.

'Stond er in de brieven iets over dingen die je open moest maken?'

'Nee.'

'Heeft ze je verder ooit iets gegeven?' vroeg Keith. Hij tikte het sleuteltje heen en weer over de tafel. 'Behalve de brieven, bedoel ik.'

'Alleen een pinpas.' Ze haalde de pas uit haar broekzak en legde hem op tafel. 'Ik heb er nu niets meer aan. Er staat niets op de rekening.'

Keith raapte de pas op en wierp hem naar de rand van de tafel.

'Oké,' zei hij. 'Wat nu?'

Daar moest Ginny even over nadenken.

'Ik denk dat ik eerst maar eens in bad ga,' zei ze.

Ook daar had Richard aan gedacht. Op de vloer bij de badkamerdeur lagen wat kleren die hem te klein waren: een sportbroek en een rugbyshirt. Ze bleef in het water liggen tot haar huid zo gerimpeld was als een gedroogde pruim. Die luxe had ze al een hele tijd niet meer gehad: echt warm water, handdoeken en genoeg tijd om helemaal schoon te worden.

Toen ze uit de badkamer kwam, zat Keith naar het ronde ruitje van de wasmachine onder het aanrecht te kijken.

'Ik heb je kleren in de was gedaan,' zei hij. 'Ze waren hartstikke smerig.'

Ginny had altijd gedacht dat er maar één manier was om kleren schoon te krijgen: door ze in gloeiend heet water te drenken en ze vervolgens in het rond te slingeren met woeste bewegingen die de hele wasmachine deed schudden en de vloer deed beven. Je sloeg ze schoon. Je liet ze lijden. Deze machine gebruikte ongeveer een half kopje water en maakte niet veel meer kabaal dan een broodrooster. Bovendien stopte hij er om de paar minuten even mee, alsof hij doodmoe was geworden van al dat gedraai.

Sjoef, sjoef, sjoef, sjoef. Rust. Rust. Rust.

Klik.

Sjoef, sjoef, sjoef, sjoef. Rust. Rust. Rust.

'Wie heeft er ooit bedacht dat er een ruitje in een wasmachine moet?' vroeg Keith. 'Gaat er ooit iemand zitten kijken hoe zijn kleren worden gewassen?'

'Behalve wij, bedoel je?'

'Tja,' zei hij. 'Daar zeg je wat. Is er koffie?'

Ginny stond op, struikelend over de lange pijpen van de sportbroek, en pakte de pot oploskoffie van Harrods uit het keukenkastje. Ze zette het voor Keiths neus op tafel.

'Harrods,' zei Keith. Hij pakte de pot op.

'Harrods,' herhaalde ze.

'Inderdaad, Harrods.'

'Nee. Het sleuteltje. Dat is van Harrods.'

'Harrods?' vroeg Keith. 'Ga je me nu vertellen dat je tante in het bezit was van de toversleutel van Harrods?'

'Misschien. Ze had daar haar atelier.'

'Bij Harrods?'

'Ja.'

'Waar had ze dan haar slaapkamer? In het parlementsgebouw? Boven in de Big Ben?'

Keith schudde ongelovig zijn hoofd.

'Waarom verbaast dit soort dingen me nog?' vroeg hij. 'Nou, kom op dan. We gaan.'

De toversleutel van Harrods

Een paar uur eerder had Ginny uit pure overlevingsdrang de hardnekkige gedachte die door haar hoofd spookte – 'Kijk nou wat ik aanheb!' – uitgeschakeld. Pas toen ze haar spiegelbeeld in de etalage van Harrods zag, besefte ze opeens weer wat ze droeg en dat ze bovendien werd vergezeld door iemand met de tekst DIE KLOOTZAKKEN VAN HET BEDRIJFSLEVEN HEBBEN MIJN BALLEN OPGEVRETEN op zijn shirt.

Keith keek al net zo ontzet toen hij door de deur naar binnen keek die de portier van Harrods voor hen openhield.

'Jemig,' zei hij. Zijn mond viel open bij de aanblik van de eindeloze mensenmenigte, die elke vierkante meter beschikbare ruimte in beslag nam. 'Hier ga ik echt niet naar binnen.'

Ginny greep hem bij zijn arm en trok hem naar binnen. Ze volgde de nu bekende route naar de chocoladeafdeling. Aan het gezicht van de chocolademevrouw was duidelijk af te lezen dat ze niet onder de indruk was van hun kleren. Je kon echter ook zien dat ze heel professioneel was en dat ze gekken in alle soorten en maten door de deuren van Harrods naar binnen had zien komen.

'Momentje,' zei ze. 'Murphy, toch?'

'Hoe wist ze dat?' vroeg Keith, terwijl de vrouw naar de telefoon liep. 'Hoe komt het dat je allemaal van die vreemde connecties hebt binnen Harrods? Wie bén jij eigenlijk?'

Ginny realiseerde zich dat ze op haar nagelriemen stond te bijten. Opeens werd ze erg zenuwachtig van de gedachte dat ze Richard zou zien. Haar oom. Degene voor wie ze was weggelopen.

'Mijn moeder sleepte me altijd mee hiernaartoe als we met Kerstmis in Londen waren,' ging hij verder, terwijl hij voorovergebogen naar de chocolaatjes in de vitrine keek. 'Het is hier nog erger dan ik me herinner.'

Ze moest weg bij Keith en de chocolademevrouw... Ze vocht tegen de aandrang om weg te glippen en in de menigte op te gaan. Bijna verloor ze de strijd, maar toen zag ze Richard met zijn korte krullen, zilverkleurige stropdas en donkere overhemd tussen de mensen door op haar af komen. Toen hij voor haar stond, kon ze hem niet aankijken. In plaats daarvan stak ze haar geopende hand uit en toonde hem het piepkleine sleuteltje, dat een afdruk in haar hand had achtergelaten.

'Dit heb ik gevonden,' zei ze. 'Het zat in tante Pegs kamer achter een poster. Ik denk dat ze het daar voor mij heeft achtergelaten en ik denk dat het past op iets wat hier staat.'

'Hier?' vroeg hij.

'De kast. Staat die nog hier?'

'Boven, in een opslagruimte. Maar er zit niets in. Ze heeft al haar verf mee naar huis genomen.'

'Kan het zijn dat dit sleuteltje erop past?'

Richard pakte het sleuteltje en bestudeerde het.

'Dat zou kunnen,' zei hij.

Ginny keek stiekem naar hem op. Zo te zien was hij niet boos.

'Kom mee,' zei hij. 'Ik heb wel even. We gaan meteen kijken.'

Het atelier van tante Peg bij Harrods was niet erg indrukwekkend. Het was een heel klein kamertje op een van de bovenste verdiepingen, met daarin een stel verminkte paspoppen en afgedankte kleerhangers. Er was een troebel raam dat je open kon duwen, maar dat alleen een grijze hemel onthulde.

'Een van die moet het zijn,' zei Richard, wijzend naar een stel grote, bruine metalen kasten in de hoek.

Op de voorste kasten paste het sleuteltje niet, dus moesten Keith en Richard er een paar verplaatsen, zodat Ginny zich achter de voorste rij kon persen om de andere sloten te proberen. Bij de vijfde was het raak. De kast was vanbinnen helemaal hol. Het bood meer dan genoeg ruimte voor de stapel opgerolde doeken die onderin lagen.

'De dode-Harrods-rollen,' zei Keith.

'Vreemd dat ze haar verf wel mee naar huis heeft genomen, maar de schilderijen hier heeft achtergelaten,' zei Richard. 'Ik zou ze nooit hebben gevonden. Uiteindelijk zouden ze zijn weggegooid.'

Ginny rolde een paar doeken uit en legde ze op de grond. Het waren duidelijk schilderijen van tante Peg: kleurige, bijna cartooneske afbeeldingen van inmiddels bekende plaatsen. Daar waren de Vestaalse maagden, de Eiffeltoren, de witte geplaveide wegen van Griekenland, de straten van Londen, Harrods zelf. Een paar waren bijna identiek aan de tekeningen op de enveloppen. Daar was het meisje aan de voet van de berg met het kasteel erop, van de vierde brief, en het eiland als een zeemonster dat uit het water verrijst, van nummer twaalf. Ginny had tijdens haar reis veel amateurschilders gezien die deze taferelen schilderden om als souvenir aan toeristen te verkopen. Deze schilderijen waren heel anders. Ze waren levendig. Ze straalden iets uit.

'Wacht eens even.' Keith stak zijn hand uit en trok iets los wat met plakband aan de binnenkant van de kastdeur vastzat. Hij bekeek het en reikte het toen Ginny en Richard aan. Het was een duifgrijs visitekaartje van dik papier met in donkere letters een naam en een telefoonnummer erop.

'Cecil Gage-Rathbone,' zei Keith. 'Dat is nog eens een naam.'

Ginny pakte het kaartje aan en draaide het om. Met pen waren er de woorden NU BELLEN op gekrabbeld.

Ze haalden de schilderijen, zevenentwintig in totaal, uit de kast en stopten ze in metalen kokers, die in extra grote plastic tassen van Harrods gingen. Richard was in de gang een paar minuten bezig om een heel oude bewaker ervan te overtuigen dat ze echt niets uit de opslagruimte hadden gestolen, en moest uiteindelijk iets laten zien wat hij in zijn portefeuille bewaarde. De man deinsde terug en bood uitgebreid zijn excuses aan.

Ze liepen naar Richards kantoor, een klein kamertje dat helemaal in beslag werd genomen door dossierkasten en dozen. Er was maar net genoeg ruimte om naar het bureau te lopen en de telefoon te pakken.

Cecil Gage-Rathbone had een stem als tinkelend kristal.

'Spreek ik met Virginia Blackstone?' vroeg hij. 'Er was ons al verteld dat u contact met ons zou opnemen. We hebben alle papieren klaarliggen – we zijn al maanden met de voorbereidingen bezig. Ik denk dat we... donderdag wel kunnen redden. Is dat te vroeg? Dan hebt u maar twee dagen.'

'Prima,' zei Ginny, die geen idee had waar hij het over had.

'Wanneer kunnen we ze komen ophalen?'

'De schilderijen bedoelt u... toch?'

'Ja, dat klopt.'

'Eh... Zegt u het maar.'

'We kunnen aan het eind van de middag wel iemand langssturen, als dat u uitkomt. We willen ze graag zo snel mogelijk in huis hebben, met het oog op de voorbereidingen.'

'Dat... komt wel uit.'

'Uitstekend. Is vijf uur goed?'

'Ja hoor...'

'Schitterend. Vijf uur dus. Klopt dat adres in Islington nog?'

'Ja...'

'Mooi zo. Dan hoeft u er alleen maar voor te zorgen dat u hier donderdagochtend om negen uur bent. Hebt u ons adres?'

Nadat ze de informatie had genoteerd die Cecil haar gaf – hij werkte voor iets wat Jerrlyn & Wise heette – legde Ginny de telefoon neer.

'Er komt iemand langs om de schilderijen op te halen,' zei ze.

'Wie dan?' vroeg Richard.

'Geen idee. Maar we moeten donderdagochtend om negen uur op dit adres zijn. Tenminste, ik wel.'

'Waarvoor?'

'Weet ik niet precies.'

'Nou, dat is dan duidelijk, hè?' zei Keith. 'Raadsel opgelost.'

Hij keek van Richard naar Ginny en toen naar de deur.

'Weet je,' zei hij, 'ik ben al een hele tijd van plan om die beroemde voedselafdeling eens goed te bekijken. Misschien koop ik wel iets voor mijn oma.'

'Sorry dat ik ben... weggegaan,' zei Ginny toen Keith weg was.

'Ach, je bent een nichtje van Peg,' zei hij. 'Het is kennelijk erfelijk. En het geeft niet.'

Richards telefoon rinkelde. Het was een heel hard, indringend geluid. Geen wonder dat hij hier altijd zo gestresst klonk.

'Neem maar snel op,' zei ze. 'Misschien heeft de koningin wel ondergoed nodig.'

'Ze wacht maar even,' zei hij. 'Ik weet zeker dat ze meer dan genoeg onderbroeken heeft.'

'Waarschijnlijk wel.'

Ginny hield haar blik op de dofgroene vloerbedekking gericht. Overal lagen kleine papieren rondjes, die duidelijk uit het reservoir van een perforator waren gevallen. Het leek wel sneeuw.

'We moeten echt wat kleren voor je regelen,' zei hij. 'Ga maar iets uitzoeken, dan laat ik het op mijn rekening zetten. Maak het niet te gek, alsjeblieft, maar neem wel iets wat je zelf leuk vindt.'

Ginny knikte moeizaam. Ze ontdekte patroontjes in de stippen op de vloer. Een ster. Een konijn met één oor.

'Het spijt me,' zei hij. 'Ik had het je niet in de metro moeten vertellen. Dat was stom van me. Ik dacht er niet bij na. Soms flap ik er gewoon van alles uit.'

'Het was altijd zo onwerkelijk,' zei ze.

'Wat? Peg en ik? Ik weet zelf niet eens precies hoe dat zat.'

'Dat ze er niet meer is,' legde Ginny uit. 'Het gebeurde wel vaker dat ze gewoon spoorloos verdween.'

'Aha.'

Opnieuw ging de telefoon over, deze keer nog luider. Richard wierp er een geërgerde blik op en drukte toen een paar toetsen in om hem tot zwijgen te brengen.

'Ze beloofde me dat ze altijd voor me klaar zou staan,' zei Ginny. 'Als ik naar de middelbare school ging, als ik naar de universiteit ging. Soms beloofde ze iets en deed ze het niet. En dan ging ze zomaar weg, zonder het tegen iemand te zeggen.'

'Weet ik. Dat was een afschuwelijke gewoonte van haar. Maar ze kon ermee wegkomen.'

Het kostte moeite, maar ze rukte haar blik los van de vloer. Richard schoof afwezig een dossier over zijn bureau heen en weer.

'Weet ik,' zei ze. 'Ze kon er inderdaad mee wegkomen. Dat was heel irritant.'

'Heel irritant,' zei hij instemmend. Er hing een air van bedachtzame droefheid om hem heen dat haar heel bekend voorkwam.

'Ach, ze wist wel wat ze deed, min of meer,' zei Ginny. 'Ik heb er in elk geval een oom aan overgehouden.'

Richard hield op met het dossier heen en weer schuiven en keek op.

'Ja.' Hij glimlachte. 'Ik vind het best leuk om een nichtje te hebben.'

Het gewatteerde huis

Op donderdagochtend reed een zwarte taxi met daarin Ginny, Richard en Keith over een stille straat in Londen. Het was het soort stilte dat hoorde bij rijkdom, traditie en heel veel high-tech beveiligingssystemen.

Afgezien van het feit dat het iets groter was dan de gebouwen eromheen, wees niets aan het gebouw van Jerrlyn & Wise erop dat het geen huis was. Het enige waaraan je kon zien wat het was, was een piepklein bronzen schildje bij de voordeur, die meteen werd geopend door een man met angstaanjagend onberispelijk blond haar.

'Mejuffrouw Blackstone,' zei hij. 'Wat lijkt u op uw tante. Komt u toch binnen. Ik ben Cecil Gage-Rathbone.'

Het pak van Cecil Gage-Rathbone had dezelfde duifgrijze kleur als het visitekaartje dat ze aan de binnenkant van de kastdeur hadden gevonden. Zijn zacht glanzende manchetknopen waren bevestigd aan mouwen die zo te zien van ongelooflijk fijn geweven katoen waren. Hij róók zelfs onberispelijk.

Als Keiths groene Jittery Grande-kilt, zwarte overhemd en rode stropdas Cecil van zijn stuk brachten, liet hij daar niets van merken. Hij stelde zichzelf met oprecht genoegen voor en gaf Keith een hand alsof hij hem al zijn hele leven had willen ontmoeten en ontzettend blij was dat het moment nu eindelijk was aangebroken. Zachtjes pakte hij Ginny bij haar schouders en leidde haar langs antieke spullen, en een handvol net zo keurig gekapte en strak in het pak gestoken mensen als hij.

Cecil bood hun iets te eten en drinken aan uit een indrukwekkende uitstalling van zilveren kannen en borden op een langwerpig mahoniehouten dressoir. Ginny hoefde niets, maar

Richard nam een kop koffie en Keith champagne, aardbeien, piepkleine scones en een enorme dot slagroom. Cecil bracht hen via een lange gang naar de veilingzaal. In de gang was alles dik en luxe: de zware gordijnen voor de ramen, de zachte, opgevulde leren stoelen. Alles was zo dik gewatteerd en geïsoleerd dat ze Keiths gemompelde monoloog over hoe graag hij altijd James Bond had willen spelen en hoe blij hij was dat hij nu auditie mocht doen bijna niet kon verstaan.

Aan het eind van de gang bleven ze staan bij een zaal waar nog meer mensen in nette pakken zachtjes in mobiele telefoons zaten te praten. Langs de muren waren blauwe stoelen neergezet, en tafels met aansluitingen voor laptops. De doeken zaten nu in eenvoudige glazen lijsten en waren voor in de kamer op ezels neergezet.

Cecil leidde hen naar een stel stoelen in de hoek. Hij bleef nog even talmen en boog naar hen toe zodat hij hun zachtjes iets kon toevertrouwen.

'Ik denk,' fluisterde hij, 'dat we een goed bod zullen krijgen voor de collectie als geheel. Ze worden al de Harrods-doeken genoemd. Iedereen is gek op een mooi verhaal.'

Pas nu ze netjes op een rijtje stonden, begreep Ginny wat de schilderijen voorstelden. Ze keek naar Richard, die ze op dezelfde manier bestudeerde als zij had gedaan: door zijn blik over de rij te laten gaan alsof hij een zin uit een boek las.

De eerste schilderijen waren kleurig, helder en krachtig, als cartoonkunst. De volgende waren ongeveer hetzelfde, maar uitgevoerd in boze, snelle verfhalen die wezen op haast. Vervolgens vervaagden de kleuren en liepen in elkaar over, en werden de verhoudingen erg vreemd. De laatste paar waren in veel opzichten het mooist, en zeker het indrukwekkendst. De felle kleuren en krachtige lijnen waren terug, maar de beelden waren bizar en klopten van geen kant. De Eiffeltoren was in tweeën gespleten. De Londense bussen waren bol, komisch en paars, en er groeiden bloemen langs de straten van de stad.

'Ze was ziek,' zei Ginny, vooral tegen zichzelf.

'Deze werken zijn een verslag van haar ziekte, en daardoor

zijn ze heel uniek,' zei Cecil voorzichtig. 'Maar u moet weten dat het werk van uw tante ook vóór haar ziekte al de aandacht had getrokken. Ze werd aangeprezen als de nieuwe Mari Adams, die vol lof was over uw tante. We hadden maanden geleden al een paar grote kopers die met smart op deze schilderijen zaten te wachten.'

Mari Adams... Vrouwe MacRaar. Uit de lichte stijging in Cecils stem toen hij haar naam zei, leidde Ginny af dat Mari echt heel belangrijk was – tenminste, wel wat hem betrof.

'Waarom heeft ze ze dan niet verkocht?' vroeg Ginny.

Cecil boog nog verder dubbel.

'U moet weten dat ze zich er terdege bewust van was dat de waarde van de collectie zou stijgen zodra ze... was overleden. Zo gaat dat in de kunstwereld. Ze heeft de verkoop met opzet uitgesteld.'

'Tot... naderhand.'

'Tot u contact met me zou opnemen, maar inderdaad. Die indruk kreeg ik.'

Hij zakte door zijn knieën en boog nog verder voorover, zodat hij nu op ooghoogte met hen was.

'Ik begrijp dat dit misschien ietwat vreemd op u overkomt, maar alles is geregeld. De opbrengst zal, zodra de verkoop is gesloten, telefonisch worden overgemaakt naar uw bankrekening.'

Zijn aandacht werd getrokken door het gezoem van zijn mobiele telefoon.

'Excuseert u mij even,' zei Cecil met zijn hand op de telefoon. 'Ik heb Japan aan de lijn.'

Cecil trok zich terug naar de zijkant van de zaal, en Ginny richtte haar blik op het achterhoofd van de man die voor haar zat. Hij had een grote rode vlek op zijn hoofd die de vier overgebleven grijze haartjes die hij er met veel gel overheen had gekamd niet konden verhullen.

'We hoeven hier niet mee door te gaan,' zei Ginny. 'Toch?'

Richard antwoordde niet.

De zaal was veel te gedempt. Te koel voor alle bizarre dingen die in haar hoofd rondspookten. Maakte Keith maar een grapje over het feit dat Cecil kennelijk het hele koninkrijk Japan aan de lijn had, of over het feit dat ze die ochtend de laatste restjes van haar arm had geschrobt van wat waarschijnlijk een kostbaar kunstwerk was geweest. Hij zei echter niets.

Ginny's blik boorde zich in de rode hoofdvlek. Die leek wel een beetje op Nebraska.

'Goed.' Cecil stond weer naast hen en klapte zijn mobieltje dicht. 'Zijn we zover?'

Het viel Ginny op dat Richard het zorgvuldig vermeed om naar de schilderijen te kijken. Het deed hem echt pijn om ze te zien.

'Ik denk het wel,' zei Ginny.

Cecil ging op een verhoging voor in de zaal staan. Ginny verwachtte dat alle telefoons nu zouden worden weggelegd, maar nee: degenen die nog niet zaten te bellen, haalden hun mobieltjes juist tevoorschijn en zetten ze aan hun oor. Er werden nog een paar laptops opengeklapt. Cecil hield een heel keurig inleidend praatje en vroeg op beleefde toon om een openingsbod van tienduizend pond.

In eerste instantie kwam er geen reactie. Een zacht geroezemoes verspreidde zich door de zaal toen dat bedrag in allerlei talen via de telefoons werd doorgegeven. Niemand zei iets en er werden geen handen opgestoken.

'Tienduizend op de voorste rij,' zei Cecil. 'Dank u.'

'Waar?' vroeg Keith, die zijn mond nog half vol aardbeien en slagroom had.

'En twaalf,' zei Cecil. 'Twaalfduizend. Dank u, meneer. Vijftienduizend dan?'

Ginny zag nog steeds niets, maar op de een of andere mysterieuze wijze leek Cecil wél iets op te vangen.

'Vijftienduizend van de meneer aan mijn rechterhand. Zie ik ergens achttien? Dank u vriendelijk. En twintig? Ja, u, meneer. Uitstekend. Dan nu dertig?'

Heel langzaam liet Keith zijn bord op schoot zakken en greep de leuningen van zijn stoel vast.

'Heb ik nu net twintig geboden?' fluisterde hij. 'Toen ik zat te eten. Denk je dat ik...'

Ginny beduidde dat hij stil moest zijn.

'Dertig. Uitstekend. Vijfendertig? Dank u. Veertig. Veertig van de mevrouw op de voorste rij...'

Richard hield zijn blik nog steeds strak gericht op de catalogus die hij dichtgeslagen op schoot had. Ginny pakte zijn hand vast en bleef erin knijpen tot het bieden stopte bij een bedrag van zeventigduizend pond.

Zeventigduizend linnen zakjes

Toen Ginny de volgende ochtend wakker werd, had ze het gevoel dat ze centimeters langer was geworden. Ze kronkelde op het bed heen en weer, draaiend van rechts naar links, terwijl ze probeerde vast te stellen of het gewoon de kater van een droom was of dat het fortuin dat haar plotseling ten deel was gevallen daadwerkelijk haar ruggengraat langer had gemaakt. Ze tastte met haar tenen in het rond om te voelen of ze nog steeds evenveel ruimte in het bed innam. Daar leek het wel op.

Nog even, dan werd het geld van de ene computer op de andere gezet en stond het opeens op haar bankrekening. Als bij toverslag. Ze vond het maar een vreemd idee dat het geld moest voorstellen, dat getal. Het was maar een getal, en je kon iemand geen getal nalaten. Dat was net zoiets als iemand een bijvoeglijk naamwoord of een kleur nalaten.

Ze stelde zich weer piepkleine linnen zakjes van één pond voor. Deze keer waren het er zeventigduizend. Ze vulden de hele kamer, lagen hoog opgestapeld tegen de geel met roze muren, bedekten de hele vloer... en haar. Ze reikten tot boven de bovenste rand van de Manet-poster, tot aan het plafond.

Het was een beetje een angstaanjagende gedachte.

Ze rolde onder de denkbeeldige stapel vandaan en liet zich uit bed glijden. Ze had lang geslapen, zag ze, en Richard was alweer weg. Hij had de krant opengeslagen voor haar op tafel laten liggen, met een kring om de wisselkoers van die dag. Met potlood had hij iets in de marge geschreven: 133.000 dollar.

Opnieuw zag ze de denkbeeldige stapel voor zich, maar nu was hij twee keer zo groot. Het was een zee van lichte, losse dollarbriefjes die tot aan haar middel kwam, de hele keuken vulde en de tafel had opgeslokt.

Dat kon de grote verrassing van tante Peg niet zijn. Er was nog meer, daar was ze nu van overtuigd. Ze zou echter hulp nodig hebben om erachter te komen wat dat was, zo veel was duidelijk. Er zat maar één ding op.

De tv stond aan toen ze binnenkwam, maar Keith zat er niet naar te kijken. Een langharige man stond voor twee verrast kijkende mensen met identieke shirts blikken verf open te maken. Keith zat over zijn schrijfblok gebogen en keek niet eens op toen Ginny binnenkwam en op de bank ging zitten.

'Moet je horen,' zei hij. '*Harrods: The Musical*. In een moderne mythologische context staat het warenhuis voor... Ja, waarvoor eigenlijk?'

Ze kon voelen dat haar ogen opengesperd waren en dat haar gezicht verstijfd en uitdrukkingsloos stond.

'Wat wil ze dat ik ermee doe, denk je?' vroeg ze.

'Met het geld?'

Ginny knikte. Keith sloeg met een zucht het schrijfblok dicht, maar hield wel zijn hand op de juiste bladzijde.

'Ik wil niet pietluttig zijn,' zei hij, 'maar ze is dood, Gin. Zíj wil helemaal niet dat je er iets mee doet. Het geld is van jou. Je mag ermee doen wat je zelf wilt. En als je wilt investeren in *Harrods: The Musical*, dan zal ik je niet tegenhouden.'

Hij keek haar verwachtingsvol aan.

'Het was een poging waard,' zei hij. 'Goed dan. Waarom ga je niet op reis?'

'Ik ben net op reis geweest.'

'Heel even, ja. Je kunt best nog wat langer gaan.'

'Ik heb niet zo'n zin om te reizen,' zei ze.

'Je zou in Londen kunnen blijven. Er is genoeg te doen in Londen.'

'Dat is een mogelijkheid,' zei ze.

'Luister,' zei hij met een zucht, 'je hebt net een hele berg geld gekregen. Doe ermee wat je wilt. Maak je niet zo druk over die laatste brief, want ik neem aan dat dát hetgeen is wat je zo dwarszit. Je hebt het allemaal uitgevogeld. Alles is gelukt.'

Ze haalde haar schouders op.

'Wat had je graag gewild dat erin zou staan?' vroeg hij. 'Je weet dat hij je naar de poster zou hebben geleid. Je hebt gekregen wat ze je wilde geven. Je hebt ontdekt dat Richard je oom is. Wat wil je nog meer weten?'

'Mag ik je iets vragen?' vroeg ze.

'Waaruit ik opmaak dat er inderdaad nog iets is wat je wilt weten.'

'Gaan wij met elkaar uit?'

'Wat houdt dat precies in?'

'Niet doen,' zei ze. 'Ik meen het serieus.'

'Goed dan.' Keith zette de tv uit. 'Dat is een begrijpelijke vraag. Maar uiteindelijk moet je een keer naar huis. Dat weet je.'

'Weet ik,' zei ze. 'Ik vroeg het maar. Maar is er nu iets tussen ons?'

'Je weet wat ik voor je voel.'

'Maar,' zei Ginny, 'kun je het ook... zeggen?'

'Ja.' Hij knikte. 'Er is absoluut iets tussen ons.'

Iets aan het feit dat hij het hardop had gezegd – dat hij ook maar íéts had gezegd – maakte Ginny ontzettend gelukkig.

En op dat moment wist ze precies wat haar tante haar in de dertiende brief zou hebben gevraagd.

Geluksgetal dertien

Het was niet logisch, maar Ginny vond eigenlijk dat er iets speciaals had moeten worden georganiseerd ter ere van de verkoop van de 'Harrods-doeken'. Harrods leek zich echter helemaal niet bewust van de gebeurtenis, of van de kunstenaar die zich tussen de dakspanten had opgehouden. Harrods was gewoon Harrods. Druk, vol. Het leven ging hier gewoon zijn gangetje. De vrouw op de chocoladeafdeling sloeg haar ogen ten hemel toen ze Ginny zag aankomen.

'Ogenblikje,' zei ze. 'Ik zal meneer Murphy bellen.'

Ginny had onderweg even gekeken of het geld al op haar bankrekening stond. Dat was inderdaad zo, dus had ze meteen honderd pond opgenomen. Nu haalde ze het geld uit haar zak en verstopte het in haar handpalm.

'Hij is onderweg, mevrouw,' zei de vrouw weinig enthousiast.

'Wat is de lekkerste chocola die u hebt?' vroeg Ginny, terwijl ze de vitrine bekeek.

'Dat hangt ervan af waar u van houdt.'

'Welke vindt u zelf het lekkerst?'

'De champagnetruffels,' zei ze. 'Maar die kosten zestig pond per doosje.'

'Doe mij er maar een.'

De vrouw trok haar wenkbrauwen op toen Ginny het geld over de toonbank schoof. Even later werd haar een zwaar bronzen doosje voorgehouden. Ginny stopte het bonnetje onder het bruine lint en schoof de doos terug naar de vrouw.

'Die zijn voor u,' zei ze. 'Bedankt voor alles.'

Toen ze bij de toonbank wegliep, vroeg ze zich af of het toch niet stiekem erg leuk zou zijn om al dat geld te hebben.

Ze nam Richard mee naar de chique tearoom. Dat leek haar wel een goed idee. Ze had best veel tijd in Engeland doorgebracht, maar had nog nooit een luxe 'high tea' gehad. Nu stond er een schaal met vier verdiepingen vol piepkleine sandwiches en gebakjes voor hen op tafel.

'Kom je je fortuin uitgeven?' vroeg Richard.

'In zekere zin,' zei ze. Ze staarde in het fijne porseleinen theekopje dat de ober net voor haar had volgeschonken.

'Wat bedoel je daarmee?'

'Het was de juiste beslissing om de schilderijen te verkopen,' zei ze. 'Toch?'

'Ik ben er in die periode bij geweest,' zei hij. 'Het einde, al die verwarring. Dat is in die schilderijen vastgelegd. Daar wil ik niet aan worden herinnerd, Ginny. Zo was ze niet altijd.'

'Hoe heeft ze ooit die brieven kunnen schrijven?' vroeg Ginny.

'Soms was ze helder van geest, maar het volgende moment dacht ze dat de muren bedekt waren met lieveheersbeestjes of dat de brievenbus iets tegen haar had gezegd. Eerlijk gezegd vroeg ik me soms af of ze het echt erg vond, of juist genoot van alle vreemde dingen die ze zag. Peg... zag overal het wonderlijke van in.'

'Ik begrijp wat je bedoelt,' zei Ginny.

Ze legden de kleine sandwiches op hun bord. Richard at een poosje in stilte. Ginny legde die van haar in vier punten langs de rand van het bord, als een kompas, of misschien een klok.

'In de laatste brief die ik heb gelezen,' begon ze, 'heeft ze me iets verteld. Ik bedacht me opeens dat ze het misschien niet tegen jou heeft gezegd.'

Richard verstijfde met zijn hand half uitgestoken naar een komkommersandwich.

'Ze zei dat ze van je hield,' ging Ginny verder. 'Ze zei dat ze tot over haar oren verliefd op je was. Ze was boos op zichzelf omdat ze was weggegaan, maar ze was gewoon bang. Ik vond dat je dat moest weten.'

Afgaand op Richards gezicht (ze was even bang dat zijn

wenkbrauwen los zouden schieten, zo heftig wiebelden ze op en neer) had hij dat inderdaad niet geweten. Nu wist ze dat ze pas echt klaar was. Opeens voelde ze zich erg licht.

Ze geneerde zich niet eens toen Richard om de tafel heen liep en zijn armen om haar heen sloeg.

Lieve tante Peg,

Ik weet niet of je het weet,
maar de dertiende blauwe
envelop is verdwenen (hij is
samen met mijn rugzak in
Griekenland gestolen). Dus dacht
ik: ik neem het maar over. Ik
wilde je even laten weten dat
Richard me terug naar Londen heeft gehaald en
dat ik het raadsel heb opgelost. Ik had moeten
weten dat ik bij de groene muiltjes moest
kijken.

We hebben veel geld verdiend. Je schilderijen
waren erg populair. Dus bedankt daarvoor.

Weet je, ik wilde je eigenlijk al een hele tijd
schrijven, maar dat kon niet. Je hebt nooit
een adres achtergelaten waar ik je kon
bereiken en je controleerde je e-mail nooit.
Dus nu schrijf ik je een brief terwijl je al
dood bent, en dat slaat eigenlijk nergens op.
Ik kan hem toch nergens naartoe sturen. Wat
ik ermee moet doen, is mij een raadsel.
Eigenlijk is het belachelijk dat de brief die ik
heb geschreven de enige van de dertien
beroemde brieven zal zijn die ik overhoud.

Ach, als ik je wél had kunnen schrijven, zou
ik je waarschijnlijk alleen maar de huid vol
hebben gescholden. Ik was namelijk vreselijk
boos op je. En hoewel je alles aan me hebt
uitgelegd, is dat nog niet helemaal over. Je
bent weggegaan en nooit meer teruggekomen. Ik
weet dat je een beetje 'verknipt' was, en
anders en creatief en zo, maar het was niet
aardig van je. Iedereen miste je. Mijn moeder
maakte zich zorgen over je — en ze bleek nog
gelijk te hebben ook.

Aan de andere kant heb je ook een geweldige
stunt uitgehaald. Je hebt me hiernaartoe laten

komen en me allerlei dingen laten doen die ik anders nooit zou hebben gedaan. Natuurlijk vertelde je me wel wat ik moest doen, maar ik moest het natuurlijk wél zelf waarmaken. Ik dacht altijd dat ik dat soort dingen alleen maar samen met jou kon doen, dat ik door jou interessanter werd. Daar had ik denk ik ongelijk in. Ik heb echt van alles gedaan wat ik gewoon ter plekke uit mijn duim heb gezogen. Je zou trots op me zijn geweest. Ik ben nog steeds dezelfde Ginny... Soms weet ik nog steeds niet wat ik moet zeggen. Ik haal nog steeds op de stomste momenten de raarste fratsen uit. Maar nu weet ik tenminste dat ik bepaalde dingen wel degelijk kan.

Daarom kan ik niet zo heel boos op je blijven. Maar ik mis je wel. Nu ik hier in jouw kamer zit en jouw geld uitgeef... Je hebt nog nooit zo ver weg geleken. Het zal gewoon tijd kosten, denk ik.

Aangezien ik de blauwe envelop niet nodig zal hebben om deze brief op te sturen, ga ik de helft van het geld erin stoppen en voor Richard achterlaten. Ik weet dat je het allemaal aan mij hebt gegeven, maar ik weet ook vrij zeker dat je zou hebben gewild dat hij er ook wat van kreeg. Hij is immers mijn oom.

Ik heb ook besloten te doen wat jou nooit is gelukt, maar wat je waarschijnlijk het liefst zou hebben gedaan... Ik ga naar huis.

Liefs,

Je interessante, internationaal ingestelde nichtje

P.S. O, en ik heb het hem verteld voor je.

Over de auteur

Omdat iedereen toch ergens moet beginnen, is Maureen Johnson geboren in Philadelphia, Pennsylvania. Al snel vluchtte ze naar New York om aan Columbia University de opleiding creatief schrijven en toneelschrijven te volgen. Ondertussen serveerde ze in New York hamburgers, omringd door krankzinnige geleerden en pratende skeletten; stond in Picadilly Circus achter de bar; werkte in Las Vegas met angst en beven in de buurt van levende tijgers en is een keer tussen de gehele cast van een beroemde West End-musical verzeild geraakt. Ze is de auteur van *3 Zussen, 1 auto* en *The Bermudez Triangle*. Als ze niet schrijft, wijdt ze al haar tijd aan het opsporen van het volmaakte kopje koffie.

LEES OOK:

Maureen Johnson

3 Zussen, 1 auto

Een ontroerend en onvergetelijk boek!

Het leven van de 3 zussen Palmer, May en Brooks verandert in één klap wanneer hun vader plotseling overlijdt in zijn geliefde auto, een oude Pontiac Firebird. Sinds die fatale dag staat de auto onaangeroerd in de garage; niemand durft erin te rijden. Terwijl Brooks zich elke avond in het uitgaansleven stort en Palmer zich steeds fanatieker toelegt op haar vaders favoriete sport softbal, probeert May de boel bij elkaar te houden en haar rijbewijs te halen. Echter zonder succes.

Na eindeloos veel opwindende rijlessen met haar maatje Pete, slaagt May uiteindelijk voor haar examen. Ze realiseert zich dat het tijd is voor verandering: de sleutel tot een nieuwe start hangt aan het haakje in de keuken.

De 3 zussen beginnen aan een hilarische en onvergetelijke tocht in hun vaders Firebird.

'Een waanzinnig boek! Ik geef het de maximale score van 5 sterren.' *Amazon.com*

ISBN: 90 261 3098 8